ISSO ME TRAZ ALEGRIA

MARIE KONDO

ISSO ME TRAZ ALEGRIA

Um guia ilustrado da mágica da arrumação

SEXTANTE

Título original: *Spark Joy*

Copyright © 2016 por Marie Kondo
Copyright da tradução © 2016 por GMT Editores Ltda.

Edição original japonesa publicada em dois volumes, *The Life-Changing Magic of Tidying Up* e *The Illustrated Life-Changing Magic of Tidying Up*, por Sunmark Publishing, Inc., Tóquio, em 2012 e 2015. Copyright © 2012 e 2015 por Marie Kondo. Direitos de tradução para português e inglês negociados com Sunmark Publishing, Inc., por meio da InterRights, Inc., Tóquio, Japão, Gudovitz & Company Literary Agency, NY, EUA e Agência Literária Riff, Brasil.

Todos os direitos reservados. Nenhuma parte deste livro pode ser utilizada ou reproduzida sob quaisquer meios existentes sem autorização por escrito dos editores.

tradução: Débora Chaves

preparo de originais: Magda Tebet

revisão: Juliana Souza e Luis Américo Costa

projeto gráfico e diagramação: DTPhoenix Editorial

capa: Christiano Menezes

impressão e acabamento: Lis Gráfica e Editora Ltda.

CIP-BRASIL. CATALOGAÇÃO NA PUBLICAÇÃO
SINDICATO NACIONAL DOS EDITORES DE LIVROS, RJ

K85i

Kondo, Marie
   Isso me traz alegria/Marie Kondo; tradução de Débora Chaves; Rio de Janeiro: Sextante, 2016.
   272 p.; il.; 14 x 21cm.

   Tradução de: Spark Joy
   ISBN 978-85-431-0375-4

   1. Feng-shui. 2. Organização doméstica. 3. Comportamento. I. Chaves, Débora. II. Título.

16-32295

CDD: 133.3337
CDU: 747

Todos os direitos reservados, no Brasil, por
GMT Editores Ltda.
Rua Voluntários da Pátria, 45 – Gr. 1.404 – Botafogo
22270-000 – Rio de Janeiro – RJ
Tel.: (21) 2538-4100 – Fax: (21) 2286-9244
E-mail: atendimento@sextante.com.br
www.sextante.com.br

Sumário

Prefácio   11
Introdução: O Método KonMari   13
As seis leis básicas da arrumação   14

PARTE I – AS PRINCIPAIS DICAS DO MÉTODO KONMARI

1. APERFEIÇOANDO SUA SENSIBILIDADE PARA A ALEGRIA   23

Arrumar é o ato de confrontar a si mesmo;
limpar é confrontar a natureza   23

Se você não sabe o que lhe traz alegria,
comece com o que considera importante   25

"Isso pode ser útil" é tabu   28

Procure ver a função das coisas essenciais
que não trazem alegria   30

Guarde sua fantasia para usar em casa   33

Não confunda bagunça temporária com recaída   35

Quando você sente vontade de desistir   38

A foto da bagunça como tratamento de choque   40

Não interrompa, não pare, não desista   41

Se você é péssimo em arrumação, experimentará
uma mudança drástica   44

2. COMO ENCHER SUA CASA DE ALEGRIA   47

Imagine o estilo de vida perfeito a partir
de uma fotografia   47

Mantenha com convicção os itens sobre os
quais você tem dúvida   49

Uma casa alegre é como um museu de arte particular   51

Acrescente cor à sua vida   53

Como aproveitar ao máximo as coisas "desnecessárias" que dão alegria   55

Crie seu cantinho energético   60

3. TUDO O QUE VOCÊ PRECISA SABER SOBRE GUARDAR AS COISAS COM ALEGRIA   63

Durante o processo de arrumação, o armazenamento é temporário   63

Separe por tipo de material   65

Arrume as gavetas como as caixas japonesas bentô   67

Os quatro princípios do armazenamento   70

Dobre as roupas como um origâmi   72

Tudo o que você precisa saber sobre o Método KonMari de dobrar   74

Planeje o armazenamento visando livrar-se dos móveis usados para armazenar   78

O armazenamento ideal cria uma sensação de alegria em sua casa   80

PARTE II – A ENCICLOPÉDIA DA ARRUMAÇÃO

4. ORGANIZANDO AS ROUPAS   85

Partes de cima   86

Partes de baixo   96

Vestidos e saias   98

Roupas para pendurar   100

Meias e meias-calças   102

Roupas íntimas ... 104
Um closet que traz alegria ... 110
Bolsas ... 117
Acessórios ... 117
Sapatos ... 123
Dicas para arrumar uma mala ... 125

5. ORGANIZANDO OS LIVROS ... 127

Conselhos para quem não consegue abrir mão dos livros ... 127
Séries ... 129
Revistas e livros de arte ... 130
Armazenando os livros de forma atrativa ... 130

6. ORGANIZANDO OS PAPÉIS ... 133

A regra básica para os papéis: descarte tudo ... 133
Crie uma caixa de pendências ... 134
Material de estudo ... 135
Faturas de cartões de crédito ... 135
Garantias ... 136
Manuais ... 137
Cartões de felicitações ... 137
Recortes ... 138
Dedique um dia a resolver as pendências ... 139

7. ORGANIZANDO A *KOMONO* ... 141

CDs e DVDs ... 142
Material de escritório ... 144
Komono de acessórios elétricos ... 147

Produtos de beleza e cosméticos 149
Produtos para relaxar 154
Remédios 155
Itens de valor monetário 156
Kit de costura 159
Ferramentas 160
Komono de lazer 160
Objetos colecionáveis 161
Coisas que você manteve "porque sim" 162
Artigos de cama e mesa 163
Toalhas 164
Bichos de pelúcia 164
Itens de recreação 167
Itens sazonais 168
Acessórios para enfrentar a chuva 168
Komono de cozinha 168
Material de limpeza 205
Produtos para lavar roupa 206
Komono de banheiro 206

8. ORGANIZANDO OS ITENS DE VALOR SENTIMENTAL 217

Arrumar os itens de valor sentimental significa colocar o passado em ordem 217
Organizando as lembranças da escola 218
Organizando as lembranças de amores antigos 219
Gravações com valor sentimental 220
Recordações dos filhos 220
Registros da vida 221

Cartas 222
Arrumar as fotos é o último passo de sua campanha 222

PARTE III – A MÁGICA DA TRANSFORMAÇÃO

9. UMA CASA QUE TRAZ ALEGRIA 231
Uma entrada que traz alegria 231
Uma sala de estar que traz alegria 233
Uma cozinha que traz alegria 234
Um escritório que traz alegria 235
Um quarto que traz alegria 236
Um banheiro que traz alegria 237

10. AS MUDANÇAS QUE ACONTECEM QUANDO VOCÊ TERMINA 239
Arrume a casa e organize a vida amorosa 242
Arrumar a casa coloca o relacionamento em foco 244
Se as coisas de sua família incomodam, faça como o sol 246
Não insista para as pessoas se organizarem
se elas não quiserem 249
Ensine seus filhos a dobrar as roupas 252
Mesmo que você fracasse, não se preocupe –
sua casa não vai explodir 254
Coisas que trazem alegria absorvem
lembranças preciosas 257

Epílogo 261
Posfácio: Preparando-se para o próximo estágio
da sua vida 264
Agradecimentos 269

Prefácio

A vida só começa, de fato, depois que você organiza sua casa. Esta é a razão de eu ter dedicado grande parte de minha existência ao estudo da arrumação. Quero ajudar o máximo de pessoas possível a se organizar de uma vez por todas.

Mas arrumar não significa simplesmente descartar tudo. Longe disso. Apenas quando sabemos escolher as coisas que nos trazem alegria é que conseguimos alcançar nosso estilo de vida ideal.

Se você tem certeza de que algum objeto lhe proporciona alegria, guarde-o, sem levar em consideração a opinião de qualquer outra pessoa. Por mais imperfeito e trivial que ele possa parecer, quando você o utiliza com cuidado e respeito, transforma-o em algo inestimável. À medida que esse processo de seleção se repete, você aumenta sua sensibilidade à satisfação. Da mesma forma, esse processo não somente acelera seu ritmo de arrumação, como também aprimora sua capacidade de tomar decisões em todas as áreas da vida. Cuidar bem de suas coisas faz com que você cuide bem de si mesmo.

O que lhe traz alegria? E o que não traz?

As respostas a estas perguntas são fundamentais. Estou convencida de que a perspectiva que se ganha por meio desse entendimento representa a força motivacional que pode fazer brilhar não apenas o seu estilo de vida, mas também seu dia a dia.

Algumas pessoas me disseram que ficaram praticamente sem nada após descartar os objetos que não lhes traziam alegria e que, então, não souberam o que fazer. Essa reação é comum quando a arrumação das roupas termina. Se isso acontecer com você, não desanime. O importante é ter percebido a sensação. A verdadeira tragédia é viver sem nada que lhe traga contentamento e nunca notar isso. Quando a arrumação termina, você pode começar a imprimir um novo vigor à sua casa e à sua existência.

Somente duas competências são necessárias para ser bem-sucedido na organização de sua casa: (1) a capacidade de manter o que lhe dá alegria e de jogar fora o restante e (2) a capacidade de decidir onde manter cada objeto escolhido, sempre recolocando-o em seu devido lugar após o uso.

O mais importante na arrumação não é decidir o que descartar, e sim o que manter em sua vida. Espero que a mágica da arrumação ajude você a criar um futuro brilhante e prazeroso.

Introdução: O Método KonMari

"Marie, existe um guia ilustrado que explique seu método de arrumação da mesma forma que você faz em suas aulas?"

Nem sei quantas vezes me fizeram esta pergunta. Minha resposta foi sempre igual: "Você não precisa de um guia, pois o sucesso depende 90% da sua forma de pensar." Não importa a quantidade de conhecimento que se pode acumular. Se você não mudar sua maneira de pensar, vai fazer tudo novamente. O que estou tentando compartilhar como consultora de arrumação não é um mero método de organização, e sim uma abordagem que permitirá que você aprenda como arrumar. Acredito que, para chegar a esse ponto, é necessário algo parecido com um tratamento de choque.

É verdade que, quando as pessoas se dispõem a fazer uma arrumação, talvez precisem de instruções mais detalhadas. Para quem está no meio do processo de organização, então, o que pode ser mais útil do que um guia ilustrado? No entanto, para quem ainda não se convenceu da importância dessa mudança, um livro desse tipo pode acabar piorando as coisas. Nesse sentido, este guia ilustrado poderia ser comparado a um livro de informações proibidas.

Portanto, permita-me fazer uma pergunta direta: Você está empenhado em concluir o evento especial e único de arrumar sua casa? Se sua resposta for "sim", por favor, vá em frente e leia este livro. Mesmo que já tenha terminado sua campanha de arrumação, as dicas para fazer com que sua casa lhe traga alegria podem ser muito proveitosas. Se sua resposta for "não", leia meu primeiro livro, *A mágica da arrumação*. Se já o leu e ainda não se dispôs a arregaçar as mangas, leia de novo, porque é provável que algo, mesmo que um pequeno detalhe, tenha impedido você de colocar as coisas em ordem.

Este guia ilustrado é uma compilação abrangente da prática do meu método, que chamo de KonMari. Pode ser muito útil para quem se comprometeu a arrumar tudo de uma vez por todas, e espero que você o leia da primeira à última página. Para aqueles que só organizaram até certo ponto e querem mais detalhes, ele vai funcionar como uma "Enciclopédia da Arrumação". Sinta-se à vontade para ir direto às seções relevantes sempre que precisar saber como determinadas tarefas devem ser feitas. Também incluí respostas a diversas perguntas que recebi dos leitores de *A mágica da arrumação*. Para quem não quer conhecer minhas histórias pessoais e está sem paciência para entender os fundamentos da arrumação, este livro pode ser a solução.

Então, preparado? Não se esqueça de que o "deus da arrumação" está sempre ao seu lado, desde que você esteja comprometido a realizá-la.

As seis leis básicas da arrumação

O processo de organização no qual você está prestes a embarcar não busca que você ordene sua casa ou improvise uma arrumação para receber visitas. De certa forma, você está a ponto de arrumar sua casa de uma maneira que irá trazer alegria à sua vida e mudá-la para sempre.

Quando você utiliza o Método KonMari, acaba passando por diversas mudanças. Primeiro, ao terminar a organização de uma vez por todas, nunca mais volta a viver na bagunça. Você também identifica com clareza seus valores e o que deseja fazer. E consegue tomar conta de seus pertences, sentindo, dia a dia, grande felicidade. A chave do sucesso é fazer isso de maneira rápida e definitiva, de uma tacada só.

Ao experimentar a sensação de ter a casa completamente arrumada no verdadeiro sentido da expressão, você nunca mais vai querer voltar à bagunça, e a força desse sentimento fará com que mantenha tudo em ordem.

1. Comprometa-se a arrumar

O Método KonMari pode parecer um pouco radical. De fato, ele exige tempo e empenho. Porém, se você escolheu este livro com a séria intenção de fazer uma boa tentativa de arrumar tudo, por favor, continue lendo. Acredite em si mesmo. Ao decidir organizar, tudo o que precisa fazer é aplicar o método correto.

2. Imagine o estilo de vida ideal

Pense no tipo de casa em que você quer morar e na maneira como deseja viver nela. Em outras palavras, descreva o seu estilo de vida ideal. Se gosta de desenhar, faça um esboço. Se prefere escrever, relate num bloco de anotações. Recortar fotos de revistas também é uma opção.

Você preferiria começar a arrumar logo, não é? É exatamente por isso que tantas pessoas passam por recaídas após a arrumação. Quando você imagina o seu estilo de vida ideal, está na realidade esclarecendo o motivo de querer arrumar as coisas, bem como identificando o ambiente que deseja para si assim que tiver terminado. O processo de arrumação representa uma gigantesca transformação em seu cotidiano. Portanto, considere seriamente o modo de vida dos seus sonhos.

3. Em primeiro lugar, termine o descarte

Uma característica das pessoas que não conseguem terminar de arrumar é que elas tentam guardar tudo, sem se livrar de nada. Quando as coisas são enfiadas em qualquer lugar, a casa parece em ordem, mas apenas de forma superficial. Se gavetas, cômodas e armários estão cheios de itens desnecessários, será impossível mantê-los organizados e isso inevitavelmente levará a uma recaída.

O segredo do sucesso na arrumação é, primeiro, terminar o descarte. Você só poderá planejar onde colocar suas coisas quando tiver decidido o que manter e o que repassar, porque só então terá uma noção exata de quanto precisa guardar.

Pensar sobre onde pôr as coisas ou se preocupar se vai caber tudo servirá apenas para distrair você do trabalho de se livrar dos excessos, que acaba nunca se encerrando. Para evitar essa perda de tempo, lembre-se de que aquilo que será descartado não deve voltar a ser guardado. Deixe de lado e concentre-se na próxima categoria. Esse é o segredo para realizar a tarefa rápido.

4. Organize por categoria, não por localização

Um dos erros mais comuns que as pessoas cometem é arrumar cômodo por cômodo. Esta abordagem não funciona porque elas acham que organizaram a casa quando, na realidade, apenas deslocaram as coisas de um lugar para outro ou espalharam itens da mesma categoria pela casa, tornando impossível ter a noção exata da quantidade de coisas que de fato possuem.

A abordagem correta é arrumar por categoria. Por exemplo, quando ordenar a categoria roupas, o primeiro passo é juntar todos os itens de vestuário da casa inteira num único lugar. Isso permite ver de modo objetivo a quantidade de roupa que se tem. Diante da enorme montanha que se formar, você será forçado a reconhecer que não vem tratando bem os seus pertences. É muito importante descobrir a quantidade real de itens de cada categoria.

5. Siga a ordem correta

É essencial não apenas organizar por categorias como também seguir a ordem correta, que é: roupas, livros, papelada, *komono* (itens diversos) e, por fim, itens de valor sentimental.

Alguma vez você já encontrou fotos antigas enquanto fazia uma arrumação e passou horas olhando para elas? Esse é um erro muito comum, que demonstra com clareza a necessidade de ter uma ordem correta de arrumação, que é planejada especificamente para ajudar você a aperfeiçoar sua capacidade de distinguir o que lhe traz alegria. Roupas são ideais para praticar essa técnica, enquanto fotografias e outros itens de valor senti-

A ordem correta de arrumar

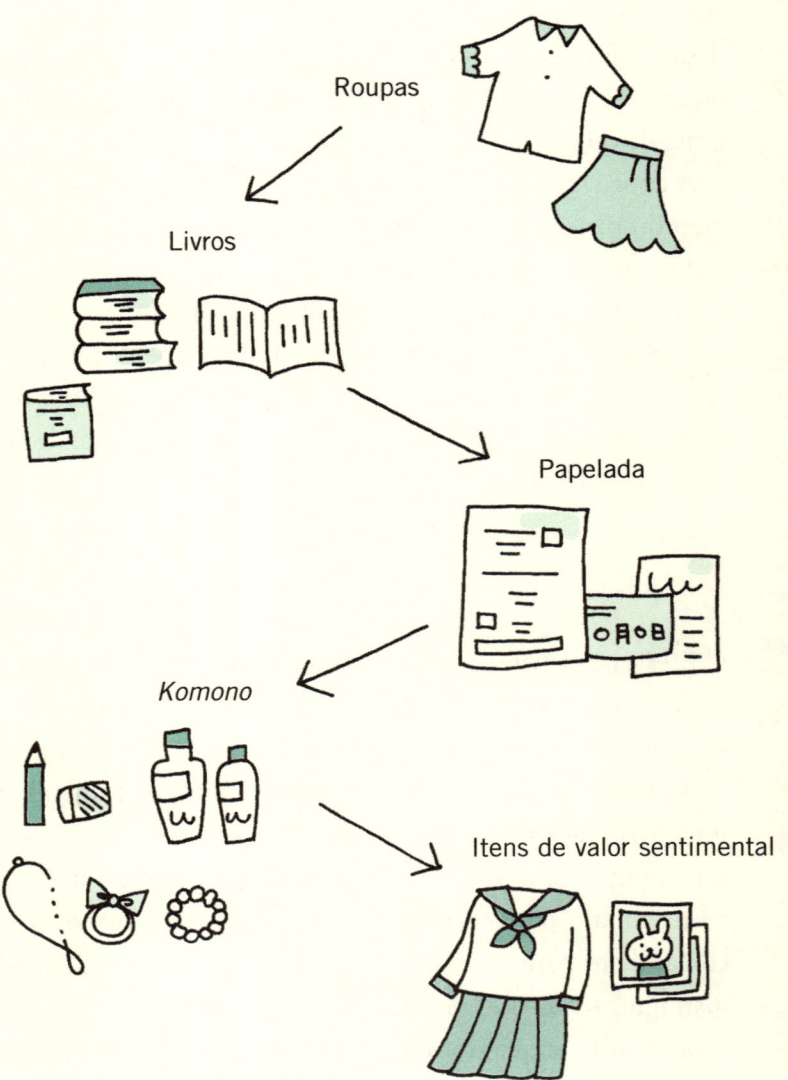

Roupas

Livros

Papelada

Komono

Itens de valor sentimental

mental são exemplos do que não deve ser tocado até que você tenha aperfeiçoado a técnica.

6. Pergunte a si mesmo se isso lhe traz alegria

O critério para decidir o que manter e o que descartar é concluir se o item traz ou não alegria. Enquanto decide, é importante tocar o objeto. Segure-o firme com as duas mãos, como se conversasse com ele. Preste muita atenção à maneira como seu corpo reage no momento em que você faz isso. Se algo lhe trouxer alegria, você sentirá uma leve emoção, como se as células de seu corpo estivessem acordando. Se não lhe trouxer alegria, no entanto, você perceberá seu corpo ficar mais pesado.

Lembre-se de que você não está escolhendo o que descartar, e sim o que manter. Guarde apenas o tipo de coisa que lhe dá felicidade. E, ao se desvencilhar daquilo que já não lhe satisfaz, não se esqueça de agradecer antes de se despedir. Ao se desapegar de coisas que faziam parte de sua vida com um sentimento de gratidão, você demonstra seu reconhecimento e o desejo de cuidar melhor de si mesmo.

Não deixe para arrumar tudo depois de se mudar

Quando me perguntam se é melhor arrumar antes ou depois de se mudar, sempre respondo: "Antes!" Se você ainda não encontrou uma nova residência, comece a arrumar seu lar imediatamente. Por quê? Porque é a casa atual que vai levá-lo à próxima.

Às vezes, penso que todas as casas estão conectadas por algum tipo de rede. É como se, ao arrumar a sua de modo adequado, ela anunciasse às demais quão cuidadoso você é, e isso acabasse atraindo outra para você. De qualquer modo, essa é a *minha* ideia de como tudo funciona.

Diversos clientes me contaram que, assim que organizaram o ambiente em que moravam, encontraram a casa perfeita. E as histórias de como eles descobriram esses novos lares são bem surpreendentes. Portanto, se você quer encontrar uma casa linda, e que seja a sua cara, cuide bem da atual.

PARTE I

AS PRINCIPAIS DICAS DO MÉTODO KONMARI

1
Aperfeiçoando sua sensibilidade para a alegria

Arrumar é o ato de confrontar a si mesmo; limpar é confrontar a natureza

"Agora vai! Estou lançando uma maratona de arrumação de fim de ano!"

No Japão, o fim do ano é tradicionalmente a época de limpar a casa inteira como preparação para o ano-novo (é como a "limpeza da primavera" em alguns países). Todo mês de dezembro, programas de televisão e matérias de revista apresentam dicas, e produtos de limpeza ficam expostos com destaque nos mercados. As pessoas entram nesse frenesi limpador como se fosse um evento nacional. Às vezes acho que ele deve estar programado no DNA japonês.

Quando tudo termina, no entanto, é surpreendente o número de pessoas que diz: "Eu realmente comecei uma arrumação, mas não consegui encerrá-la até o último dia do ano." Quando pergunto o que fizeram, fica claro que a maioria fez uma arrumação enquanto limpava a casa. Ou seja, jogou fora, de modo aleatório, itens inúteis que por acaso chamaram sua atenção, esfregou o chão e as paredes que surgiram debaixo ou por trás das pilhas de coisas, doou caixas de livros, limpou as prateleiras onde ficavam os livros...

Deixe-me ser bem direta: Com essa abordagem, você passará o resto da vida arrumando. É de se esperar mesmo que a tal "faxina de fim de ano" fique pela metade. Para ser franca, até dez anos atrás, eu e minha família fazíamos exatamente isso e nunca tínhamos sucesso em deixar a casa brilhando para o ano que começava.

Muitas vezes, as palavras *arrumar* e *limpar* são empregadas como se fossem sinônimas, mas elas têm significados bem diferentes. Se você não reconhece essa importante verdade, então sua casa jamais ficará limpa de fato. Para começar, o foco é diferente. Arrumar tem a ver com objetos; limpar, com sujeira. Ambas têm como objetivo deixar o espaço limpo, mas arrumar significa descartar objetos ou guardá-los, enquanto limpar demanda esfregar e acabar com a imundície.

A responsabilidade pela bagunça e pela desarrumação é do indivíduo. As coisas não se reproduzem por iniciativa própria, e sim quando as compramos ou as ganhamos de alguém. A bagunça se acumula quando fracassamos em devolver os objetos aos devidos lugares. Se a sala fica bagunçada "sem que você perceba", a culpa é toda sua. Em outras palavras, **arrumar significa confrontar a si mesmo.**

Por outro lado, a sujeira se amontoa por conta própria. A poeira e a sujeira se acumulam por causa de uma lei da natureza. Por essa razão, **limpar significa confrontar a natureza.** A limpeza deve ser feita com regularidade para remover a sujeira recorrente. É exatamente por isso que o evento de fim de ano no Japão não é chamado de maratona de "arrumação", e sim de maratona de "limpeza". Se você quer ter sucesso na limpeza de fim de ano, o segredo é terminar a maratona de arrumação antes.

Em meu livro anterior, explico que uma "maratona de arrumação" implica completar de maneira cuidadosa e rápida o processo de descarte, bem como definir onde guardar tudo o que você decidiu manter. Basta fazer isso uma vez. Se você tomar a decisão e fizer, conseguirá se concentrar na limpeza de fim de ano. Meus clientes que terminaram a arrumação – e que antes se sentiam completamente incompetentes – costumam dizer que a limpeza agora já não é mais demorada e que eles gostam de realizá-la.

Limpar o templo é parte do treinamento budista, mas arrumar, não. Durante a limpeza, podemos esvaziar a mente enquanto as mãos se movimentam; arrumar, porém, exige que pensemos – sobre o que descartar, o que manter e onde guardar. **Pode-se dizer que a arrumação organiza a mente, ao passo que a limpeza a purifica.** Se você quer limpar sua casa para o ano-novo, comece com uma maratona de arrumação. Não importa quanto você se esforce, sua casa só ficará limpa de verdade se você arrumá-la primeiro.

Se você não sabe o que lhe traz alegria, comece com o que considera importante

"Eu sinto... Acho que é alegria... Sinto algo entre a alegria e... a não alegria."

Na primeira aula, uma cliente senta-se imóvel diante da montanha de roupas. Com uma camiseta branca na mão e o saco de lixo a seu lado, ela coloca a camiseta de volta na pilha e pega um casaco cinza. Depois de olhar para o casaco por dez segundos, ela levanta os olhos lentamente.

"Não sei qual é a sensação de 'alegria'", diz, por fim.

Como você já sabe a essa altura, o segredo do meu método é manter apenas as coisas que dão alegria e descartar o restante. **Segurar isso lhe traz alegria?** Algumas pessoas consideram este critério fácil de seguir, outras se perguntam o que ele de fato significa. Quando meus clientes enfrentam essa dúvida, proponho o seguinte exercício:

Pegue os três itens da pilha que mais lhe dão alegria. Você tem três minutos para decidir.

No caso descrito acima, uma cliente hesitou por um momento. "Os três mais...", ela murmurou. Na sequência, revirou a pilha, tirou cinco itens e os colocou numa fila. Depois de rearrumar os itens diversas vezes, ela devolveu dois deles para a pilha e, quando o prazo estava acabando, anunciou com firmeza: "Estes são os três mais, da direita para a esquerda!" Diante dela havia um vestido branco com uma estampa floral verde, um suéter bege de lã e uma saia azul.

"É isso!", afirmei. "Isso é alegria!"

A melhor maneira de identificar o que nos traz ou não alegria é comparando. No início, é difícil decidir se uma coisa lhe oferece alegria quando você olha apenas para ela. Mas, ao compará-la com um monte de outros itens, seus sentimentos se tornam mais claros. Por essa razão é tão importante selecionar apenas uma categoria por vez, começando com as roupas.

O método de criar um ranking das "três peças que dão mais alegria" pode ser usado também nas outras categorias. Se você está empacado no quesito livros ou nos itens de hobby, experimente. Desde que se mantenha na mesma categoria, você vai descobrir que não apenas é capaz de identificar os três primeiros lugares como também de classificar qualquer coisa. Obviamente, qualificar cada item leva tempo. Mas, quando tiver escolhido os dez ou vinte que mais o fazem feliz, você vai perceber que qualquer coisa fora dessa seleção perdeu a utilidade. Descobrir sua "linha de corte da alegria" é um processo fascinante.

Outro truque para identificar o que lhe dá alegria quando você começa a selecionar suas roupas: inicie com aquelas que ficam mais próximas do coração. Por quê? Porque é aí que você sente alegria – no coração, não na mente. Quanto mais próxima do coração a roupa está, mais fácil é o processo de escolha. Itens como blusas e camisas, por exemplo, são mais fáceis de selecionar do que calças, saias ou meias. Tecnicamente, roupas íntimas como sutiãs e combinações são usadas próximas ao coração, mas a maior parte das pessoas não tem o discernimento suficiente para fazer uma comparação adequada. A minha regra básica é pegar primeiro os itens usados na parte de cima do corpo.

Se você está indeciso sobre qualquer peça do vestuário, vá além do toque; abrace a roupa. A reação de seu corpo quando você pressiona a peça contra o coração pode ajudá-lo a sentir se ela lhe dá alegria. Toque, abrace e olhe com atenção qualquer item sobre o qual esteja em dúvida. Como último recurso, vale a pena até mesmo vestir as roupas. Se forem muitas, é mais eficiente colocá-las numa pilha separada e experimentar todas de uma vez só, depois que tiver terminado de selecionar as outras roupas.

A princípio, o processo pode ser mesmo complicado. Uma cliente demorou quinze minutos para analisar a primeira peça que pegou da pilha. Não se preocupe se achar que o processo está demorado. Cada pessoa tem seu tempo. Se, no início, você reservar um momento para explorar seu senso de alegria, a velocidade na tomada de decisões aumentará rapidamente. Portanto, não desista. Se continuar tentando, logo alcançará esse estágio.

"Isso pode ser útil" é tabu

Uma pergunta frequente que ouço de meus clientes é: "O que devo fazer com as coisas que são necessárias, mas que não me dão alegria?" Muitas pessoas ficam confusas na hora de decidir sobre itens de vestuário que são meramente práticos, como as roupas que são usadas apenas nos dias mais frios do ano. O mesmo vale quando tentam descartar ferramentas, como tesouras e chaves de fenda.

"Essa peça não me deixa exatamente entusiasmado, mas é necessária, certo?" A esse tipo de questão, minha resposta é sempre a mesma: **Se a peça não lhe dá alegria, vá em frente e descarte-a!** Se, em determinado momento, o cliente fala "Por que não? Vou jogar isso fora", ótimo. O mais comum, no entanto, é ele se opor, dizendo "Não, espere. Eu preciso disso" ou "Mas eu o utilizo às vezes". Sendo assim, estimulo o cliente a manter o item com convicção.

Embora a resposta possa parecer irresponsável, na realidade ela é baseada em anos de experiência. Comecei a estudar a arte da arrumação, com seriedade, quando estava no ensino médio. Depois de passar pela fase em que descartava tudo como se fosse uma máquina, descobri a importância de manter apenas as coisas que dão alegria, uma abordagem que venho praticando desde então. Despedi-me, pelo menos temporariamente, de incontáveis coisas que não me traziam contentamento, e, para ser franca, a ausência de um item descartado nunca provocou qualquer catástrofe. Havia sempre algo em casa que podia ser posto em seu lugar.

Um dia, por exemplo, após jogar fora um vaso que estava lascado na borda, senti falta dele. Criei um substituto perfeito para ele cobrindo uma garrafa plástica com um belo tecido e usando-a para colocar flores. Em outra ocasião, depois de descartar um martelo porque o cabo estava bastante gasto, utilizei a frigideira para pregar um prego na parede.

É claro que, se determinada coisa for absolutamente necessária, comprarei outra para colocar em seu lugar. Mas, tendo chegado tão longe, não posso mais comprar algo só para ter. Pelo contrário: levo em consideração e presto muita atenção no design, no toque, na conveniência e em todos os fatores importantes para mim até encontrar o item de que realmente goste. Isso significa que aquilo que escolho é o melhor, algo que vou amar por toda a vida.

Organizar envolve bem mais do que decidir o que manter e o que descartar. De certa forma, é uma oportunidade inestimável de aprendizado, permitindo que você reavalie e refine o relacionamento com seus pertences e crie um estilo de vida que lhe traga o máximo de felicidade. Isso não torna a tarefa de arrumar bem mais divertida?

Estou convencida de que desapegar-se de algo que não lhe dá alegria é a melhor maneira de sentir como é se cercar apenas de coisas que lhe dão prazer.

"*Isso pode ser útil.*" Acredite no que digo: nunca será. Você sempre pode se virar sem esse item. Para aqueles que embarcaram na maratona da arrumação, essa frase é tabu.

Procure ver a função das coisas essenciais que não trazem alegria

Como acabei de mencionar, usei uma garrafa plástica no lugar de um vaso que tinha jogado fora. Era mais leve, inquebrável e não exigia lugar específico para ser guardada. Bastava reciclá-la quando não precisasse mais dela. Poderia ainda cortá-la do tamanho que quisesse e brincar com estampas diferentes se trocasse o tecido que a revestia. Embora tenha comprado um vaso de cristal de que gosto muito, ainda utilizo garrafas plásticas quando tenho flores demais em casa. Fiquei bastante satisfeita. São incontáveis os novos prazeres que descobri com o descarte.

No entanto, admito que houve exceções. Foi o caso, por exemplo, do aspirador de pó. Eu me livrei dele porque era um modelo ultrapassado, e passei a limpar o chão com panos e esfregões. Mas, no fim das contas, isso tomava muito tempo e acabei comprando um novo aparelho.

Depois, foi a vez da chave de fenda. Após jogá-la fora, tentei usar um transferidor para apertar um parafuso, mas ele se partiu ao meio. E isso quase me levou às lágrimas, pois eu realmente gostava dele.

Todos esses incidentes são resultado da inexperiência e da falta de atenção. Eles demonstraram que eu ainda não tinha desenvolvido a capacidade de discernir o que me proporcionava alegria. Enganada por sua simplicidade, falhei em perceber que na realidade gostava daqueles itens. Achei que, para reconhecer aquilo que me traria alegria, deveria sentir um arrepio de excitação ou notar o coração batendo mais rápido. Agora, vejo as coisas de maneira diferente.

Sentimentos de fascinação, de excitação ou de atração não são os únicos indícios de alegria. **Um design simples que facilita o trabalho, um alto nível de funcionalidade que simplifica a vida, a sensação de reconhecimento de que um objeto é útil em seu cotidiano – tudo isso também indica alegria.**

Se sentimos, com clareza, que algo não irradia alegria, obviamente não sofremos com a decisão de descartá-lo. Porém, quando ficamos divididos em relação a nos livrar de algum objeto, é porque: (1) o item nos trouxe contentamento, mas já cumpriu seu propósito; (2) ele de fato nos dá felicidade, mas não percebemos; ou (3) precisamos mantê-lo independentemente de ele irradiar ou não alegria. Incluídos na terceira hipótese estão os contratos, as roupas e itens usados em casamentos e outras ocasiões especiais, além de coisas que não devem ser descartadas sem autorização, pois poderiam causar revolta por parte de outras pessoas, como, por exemplo, membros da família.

Tenho um truque para aumentar o nível de alegria com as coisas que sabemos que precisamos, mas que não nos dão prazer: cubra-as de elogios. Deixe que saibam que, apesar de não inspirarem contentamento, você realmente precisa delas.

Pode ser uma frase do tipo:

"Chave de fenda, posso não usá-la muito, mas, quando preciso de seu auxílio, você é genial. Graças à sua ajuda, instalei rapidamente essa prateleira. Além disso, você salvou as minhas unhas. Eu as teria destruído se tivesse que usá-las para girar os parafusos. E que design! Forte, vigoroso e elegante, com um jeito moderno que faz você realmente se destacar."

Apesar de parecer meio patético no papel, um pouco de exagero torna tudo muito mais engraçado. A questão é a seguinte: As coisas de que precisamos definitivamente tornam nossa vida mais feliz. **Por essa razão, deveríamos tratá-las como objetos que nos proporcionam alegria.** Por meio desse processo, aprendemos a identificar com exatidão até mesmo aqueles itens que são meros utilitários como coisas que nos dão satisfação.

Um dos temas de minhas aulas regulares é apreciar cada item que usamos. Essa é uma maneira muito eficiente de aperfeiçoar nossa capacidade de julgamento. No momento que meus clientes começam a lidar, por exemplo, com utensílios de cozinha, eles podem declarar, de maneira bastante segura, que uma desinteressante frigideira ou um simples batedor de ovos lhes proporciona alegria. O contrário também pode ocorrer. Alguns clientes descobriram que nenhuma roupa usada para trabalhar lhes trazia felicidade. Quando analisaram o motivo, perceberam que era o trabalho que não os entusiasmava. **Dessa forma, apesar de alguns itens que consideramos desnecessários na realidade irradiarem alegria, a falta dessa energia às vezes representa a nossa voz interior.** Isso demonstra quão profunda é a ligação que temos com nossos pertences.

À medida que, por meio do processo de organização, desenvolvemos a noção do que nos dá alegria, passamos a nos conhecer melhor. Esse é o propósito principal da arrumação.

Guarde sua fantasia para usar em casa

– Este vestido me dá alegria, mas sei que não vou usá-lo novamente. É melhor descartá-lo, certo? – perguntou uma cliente, um tanto hesitante.

Seu olhar se fixou num vestido de um azul vivo, coberto de flores e enfeites dourados. Possuía mangas bufantes e saia com vários babados. Ela tinha razão. Era demais para o dia a dia. Ela explicou que o usara em suas apresentações de dança. E acrescentou que, se voltasse a se apresentar, iria querer um vestido novo.

– Sempre fico arrepiada quando o vejo, mas talvez deva me livrar dele – afirmou ela e, com relutância, colocou-o na sacola de doações.

– Espere um pouco! – exclamei. – Por que não o mantém para usar em casa?

Ela me olhou surpresa, mas depois sua expressão ficou séria.

– Não seria estranho?

Uma pergunta razoável.

– Mas ele a deixa feliz, né? – insisti.

Ela hesitou por alguns segundos e depois disse:

– Vou experimentar para ver. Na verdade, farei isso agora mesmo!

Ela pegou o vestido e foi para a sala ao lado. Alguns minutos depois, a porta se abriu e ela entrou completamente transformada. Ela não apenas pôs o vestido azul como colocou também brincos dourados e uma presilha de flores amarelas no cabelo. Refez até mesmo a maquiagem! Foi a minha vez de ficar surpresa. Sua transformação ultrapassou muito as minhas expectativas. Enquanto eu recuperava o fôlego, ela se viu no espelho e sorriu.

– Nada mau, não é? Acho que vou ficar vestida assim até o final de nossa sessão!

Embora este seja um exemplo extremo, é surpreendente o número de clientes que possuem trajes que parecem fantasias. Para citar alguns, houve o caso do vestido chinês, das fantasias de empregada e de dançarina do ventre. Se o cliente gosta desse tipo de peça, separar-se dela pode ser difícil. Se uma roupa assim lhe dá alegria, mas você não consegue se imaginar saindo à rua com ela, não há por que não usá-la dentro de casa.

Mesmo que você se sinta um pouco constrangido, sugiro que pelo menos a experimente. Se, ao se ver no espelho, decidir que é ridícula demais, talvez aceite que está na hora de se livrar dela. Porém, se ficar muito melhor do que você esperava, desfrute-a e acrescente um toque incomum à normalidade cotidiana. Só não se esqueça de avisar a família antes.

Quando você utiliza e se cerca de coisas que ama, sua casa se torna seu paraíso pessoal. Não jogue fora as coisas que lhe dão felicidade só porque não as está usando. Você corre o risco de acabar tirando toda a alegria da sua casa. Ao contrário, seja criativo e encontre maneiras de tornar proveitosas as coisas aparentemente inúteis. Tente cobrir a parede do armário com fotografias de seus músicos favoritos para criar um "cantinho da alegria" personalizado. Ou revestir aquela caixa transparente com uma coleção de cartões-postais para esconder seu conteúdo. Ter ideias de *como* usar as coisas que você ama torna a arrumação bem mais divertida.

Não confunda bagunça temporária com recaída

"Desculpe-me. Tive uma recaída."

Fiquei paralisada quando li a primeira linha do e-mail de uma cliente. "É isso aí", pensei. "Finalmente aconteceu."

Até então, desde que eu começara a dar aulas particulares nas casas dos clientes, o índice de recaída era zero. As pessoas muitas vezes riam e diziam "Não pode ser verdade. Não é possível que seja realmente zero" ou "Como conseguiu esses números?". Mas eles são reais. E isso não deveria ser tão surpreendente. Qualquer um que aprenda a fazer arrumação corretamente não deve reincidir.

"Nossa", refleti. "Vou ter que começar a dizer que meu método 'tinha' índice zero de recaída. Mas, primeiro, é melhor eu me desculpar e oferecer um novo treinamento à cliente."

Verifiquei, ansiosa, o nome da remetente e tive outra surpresa. Tratava-se de uma mulher que tinha se "formado", mas que ainda precisava concluir a categoria *komono* e a de itens de valor sentimental. Sua última aula estava marcada para o fim do mês. Até aquele momento ninguém havia dito que sofrera uma recaída, nem mesmo quem estava no meio do curso. Obviamente, algo acontecera. Eu sabia que, por ser mãe de duas crianças e trabalhar fora o dia inteiro, ela devia estar sobrecarregada, e que o marido, que também trabalhava em horário integral, não devia ter tido tempo para ajudá-la.

Quando cheguei para nossa última aula, ela se desculpou mais uma vez.

– Peço desculpas. As coisas voltaram a ficar como eram antes de nossa primeira aula.

As roupas estavam empilhadas num canto da sala de estar, o quarto com piso de tatame se encontrava lotado de brinquedos e os pratos se amontoavam na bancada da cozinha. Ela não estava em condições de ter aula.

– Vamos pelo menos guardar as coisas para as quais você definiu um lugar de armazenamento.

– Boa ideia. Consegui arrumar um pouco a minha mesa no trabalho – informou.

Conversamos sobre vários assuntos enquanto ela recolocava tudo em seu devido lugar. Dobrou as roupas e as guardou nas gavetas do armário, em seguida pôs os brinquedos na caixa de plástico, os bichinhos de pelúcia na cesta de vime e os papéis nos quais as crianças haviam desenhado na lixeira de recicláveis. Os temperos voltaram para a prateleira da cozinha e os pratos limpos retornaram ao armário. Em menos de vinte minutos, a casa estava nas mesmas condições de nossa última aula, sem nada sobre a mesa ou no chão.

– Viu como consigo arrumar tudo em apenas meia hora? O problema é que, quando estou ocupada, acabo deixando as coisas bagunçadas. Tenho tido recaídas desse tipo pelo menos duas ou três vezes por mês.

Na realidade, isso não conta como uma recaída. Trata-se apenas de uma bagunça temporária, causada pelo fato de ela não devolver as coisas aos seus respectivos lugares todos os dias. Recaída e bagunça são coisas bem diferentes. Recaída significa o estado no qual as coisas, sem um lugar de armazenagem determinado, começam a se espalhar de novo pela casa, mesmo que você tenha arrumado tudo definitivamente. Desde que tudo tenha o seu devido lugar, um pouco de bagunça não é problema.

Preciso confessar que, quando estou assoberbada de trabalho, saio de casa correndo pela manhã e volto à noite exausta. Quando me dou conta, a pilha de roupas sobre a cadeira do quarto está grande. Mas não entro em pânico porque sei que, assim que tiver tempo, vou conseguir arrumar aquele espaço de maneira fácil e rápida. É um tremendo alívio saber que é possível arrumar tudo em cerca de trinta minutos, bastando retornar o que está limpo para o armário e levar o que está sujo para a máquina de lavar.

Nunca admita que está tendo uma recaída. Esse simples pensamento pode acabar com sua motivação e, aí sim, provocar uma recaída verdadeira. Se você observar um pouco de bagunça durante a maratona de arrumação, não desanime. Devolva as coisas aos seus lugares corretos sempre que puder e vá em frente. (Lembre-se: o armazenamento só será finalizado quando a maratona acabar, portanto, guarde as coisas onde decidiu naquele momento.) Quanto mais você avançar, de menos tempo vai precisar para arrumar; então, realmente não há motivo para se preocupar.

O segredo é voltar ao princípio. Somente quando tudo tiver um local de armazenamento definido é que você terá alcançado seu objetivo. Continue assim, confiante de que nunca recairá após ter cruzado a linha de chegada.

Quando você sente vontade de desistir

Você já começou uma maratona de arrumação e acabou se perdendo no meio do processo, sem perspectiva de chegar ao fim? Não se preocupe. Quase todo mundo se sente assim no início.

De vez em quando um cliente, ou aluno, exclama: "KonMari, estou com vontade de desistir. Mal comecei a selecionar as roupas, mas já está demorando muito!" **A ansiedade cresce por não conseguirmos ver a situação como um todo.** Se isso acontecer com você, tente fazer um inventário do espaço de armazenamento disponível. Dê um passo para trás e observe a situação com objetividade. Desenhe uma planta do ambiente, faça rascunhos ou prepare uma lista de quais prateleiras e caixas organizadoras existem na casa e que tipo de itens cada uma contém. Inevitavelmente coisas vão surgir de onde você menos espera tão logo volte a arrumar, portanto não é necessário fazer um registro detalhado. Busque ter uma noção geral de quais categorias de coisas são guardadas onde.

Quando vou à casa de algum cliente pela primeira vez, não inicio o trabalho direto pela seleção de roupas. Em vez disso, começo verificando o espaço de armazenamento disponível. Pergunto várias vezes: "O que fica aqui? Você guarda coisas desta categoria em outros lugares?" Anoto mentalmente a localização e a quantidade de cada espaço de armazenamento, estimo o tempo que o processo de organização levará e visualizo o resultado final, inclusive onde tudo ficará guardado.

Mas isso é o que faço como instrutora. Já o seu propósito é obter um panorama do estado atual do ambiente e reencontrar seu equilíbrio. Não perca muito tempo com isso. Dez a trinta minutos devem ser suficientes.

Na verdade, o simples ato de listar cada espaço de armazenamento de sua casa restaura sua objetividade. No entanto, se você de repente perceber que não é o momento de analisar seu estoque, sinta-se livre para voltar a arrumar. Se achar cansativo fazer o inventário e isso interferir no processo de organização, então reveja suas prioridades.

Por outro lado, se você gosta de tomar notas e criar registros, seja o mais detalhista possível. Anote todo o conteúdo de cada caixa de armazenamento. Uma de minhas clientes chegou a fazer um diário da arrumação. A primeira página apresentava seu "Estilo de vida ideal". A seguinte, uma seção chamada "Situação atual" (Problemas de organização, Espaços de armazenamento, Lista de coisas por categoria). A última seção era uma tabela do andamento do processo intitulada "O processo de organização", na qual ela registrou tudo: das descobertas que fez sobre arrumação até o número de sacos de lixo que usou.

"Adoro quando termino com sucesso outra categoria e vejo a lista toda ticada", disse ela. Se criar listas lhe dá prazer, sinta-se à vontade para levar o tempo que for necessário nessa tarefa. Enquanto faz isso, por que não inventar outras maneiras de aumentar a alegria que você sente enquanto arruma?

A foto da bagunça como tratamento de choque

Minha primeira aula com T estava marcada para dali a uma semana quando recebi o e-mail abaixo. Ela já tinha entendido os fundamentos da arte da arrumação, havia definido seu estilo de vida ideal e parecia entusiasmada para começar; agora, porém, seu entusiasmo parecia ter diminuído.

"Estou tão desestimulada com a bagunça que não consigo entrar no clima de fazer um festival de arrumação", escreveu ela. "Não consigo me animar..." Em sua lista de obstáculos, "Uma sala virou depósito e meus dois filhos continuam desarrumando o que já arrumei". Para encerrar, ela afirmou: "Nunca serei capaz de arrumar nada porque meu sangue é do tipo B." (No Japão, há a crença generalizada de que o tipo de sangue influencia a personalidade, e diz-se que quem pertence ao tipo A tem mais força de vontade para arrumar e organizar do que aqueles do tipo B.)

Fiquei tentada a responder "Pare de reclamar e vá trabalhar". Mas sei que a reclamação é, na verdade, prova de que a pessoa ainda tem energia para seguir em frente. O truque é transformar a atual bagunça, que logo terá desaparecido para sempre, numa fonte de diversão.

Como? Tirando fotos enquanto tudo ainda está bagunçado. Isso mesmo. Sugiro sair tirando fotos panorâmicas de cada cômodo, bem como detalhes do conteúdo de cada gaveta. É provável que essas imagens mostrem que sua casa está ainda mais desarrumada do que você imagina. Pode haver pilhas de roupas, papéis espalhados e coisas que fazem você se perguntar como chegaram lá. Esse olhar objetivo sobre a realidade do espaço pode ser muito chocante, até mesmo desesperador.

Por que eu iria querer esfregar isso na sua cara e fazer com que você se sentisse ainda pior? Acredite, não quero ser cruel. Sei quão difícil é ficar motivado quando não se tem vontade de fazer nada. No meu caso, é mais eficaz descer ao fundo do poço do que tentar me motivar para me esforçar. Uma vez lá embaixo, fico chateada por estar desanimada e consigo me recompor bem mais rápido.

Esse método funciona bem não apenas antes de iniciar o trabalho de arrumação, mas também quando você se sente esgotada no meio do processo. Desfrute de suas fotos ao máximo. Compartilhe-as com os amigos e dê boas risadas ao comparar sua casa antes e depois da maratona de arrumação. Conforme a casa vai ficando em ordem, é fácil esquecer como ela era quando estava bagunçada. Um simples passar de olhos pelas fotos mostra quanto você avançou, além de funcionar como um estímulo para seguir em frente. Quando os clientes olham para as fotos depois de terminar de arrumar, todos perguntam: "De quem é essa casa bagunçada?"

Não interrompa, não pare, não desista

Muitos anos se passaram desde que fiz a primeira consultoria nessa área. Tenho visto tantas casas bagunçadas que é raro a desorganização, independentemente do grau, me irritar. Três ou quatro montes de roupas no chão é algo normal. Mesmo quando abro a porta de um cômodo e deparo com um mar de papéis chegando à altura do meu calcanhar, me sinto preparada para enfrentar o desafio. Mas confesso que fiquei chocada ao entrar na casa de certa cliente. Vou chamá-la de K.

O escritório dela ficava no térreo e a residência ocupava o segundo e o terceiro andares. Passamos pelo corredor do escritório, que estava um tanto vazio, e subimos as escadas. Quando a porta para a sala de estar se abriu, me senti num episódio de *Além da imaginação*.

Assim que entrei, encontrei a caixa de areia do gato. Bolinhas que pareciam ração de gato se espalhavam por todo o chão, tornando quase impossível andar sem pisar nelas. Logo esmaguei com meu sapato uma do tamanho de um grão de café. Enquanto pensava no que fazer com os farelos presos às minhas solas, olhei para cima e fiquei impressionada com o que vi.

A escada diante de mim era feita de livros. Ou, para ser mais exata, de blocos de três ou quatro volumes empilhados em cada degrau, de modo que a estrutura de madeira já não era visível. Ignorando meu assombro, K comentou: "Tenho muitos livros. O sótão está lotado, não cabe mais nenhum." Ela falava e subia os degraus alegremente, sem se importar com o fato de estar prestes a tropeçar neles. Eu, por outro lado, me agarrava no corrimão e subia com cautela, passo a passo, certa de que, se caísse, minha cabeça aterrissaria na caixa de areia do gato. Só conseguia pensar que aquela falta de arrumação daria uma ótima armadilha contra possíveis ladrões.

Consegui chegar inteira ao segundo andar e fingi indiferença ao cruzar a sala, na qual uma parede parecia ser feita de livros. O quarto dela era um covil lotado de roupas. Roupas penduradas em cabides e araras cobriam as paredes laterais, afunilando o campo de visão e encobrindo a luz.

Aquela foi a primeira aula de K, mas várias outras virão. Para ser honesta, essa consultoria está demorando muito e vai ultrapassar fácil o recorde de qualquer um dos meus clientes. A casa, no entanto, já se transformou num mundo novo se comparada ao início. Fã de arte, K vai a três exposições ou mais por mês. Durante a arrumação, ela encontrou diversos trabalhos de cerâmica lindíssimos, além de reproduções de quadros famosos. À medida que a quantidade de bagunça diminuía e as paredes reapareciam, ela começou a pendurar os quadros. Trabalhos de Monet e Renoir passaram a enfeitar um canto do quarto, transformando-o numa galeria singular. Foi o fim da aparência de covil que ele tinha antes.

Mesmo assim, K de vez em quando pergunta: "Sei que os lugares em que terminei a arrumação ainda estão em ordem, mas você tem certeza de que é normal levar tanto tempo para arrumar tudo?"

Minha resposta é um vigoroso "Sim!", pois o processo de organização está de fato avançando.

Não importa o nível da confusão da casa, a arrumação lida com objetos. **Não importa quantas coisas você possua, a quantidade é sempre finita.** Quando você consegue identificar os objetos que lhe dão alegria e decidir onde guardá-los, o trabalho de arrumação inevitavelmente termina. Quanto mais você organiza, mais se aproxima de uma casa cheia de felicidade. Por isso, nada pode ser mais ineficiente do que desistir no meio do processo.

Se você conseguiu dar o primeiro passo rumo à maratona de arrumação, não interrompa, não pare, não desista. Qualquer que seja a atual situação da sua casa, esteja certa de que é possível transformá-la num local que irradia alegria. Você tem a minha garantia, pois **a arrumação nunca mente. O contrário também é verdadeiro.** Se você não tiver determinação, a maratona de arrumação nunca vai acabar. Portanto, se parou na metade, deixe de procrastinar. Está na hora de voltar ao trabalho.

Se você é péssimo em arrumação, experimentará uma mudança drástica

Antes de começar o curso, pergunto aos meus clientes: "Você é bom de arrumação?" Em geral, ouço uma das três respostas: bom, regular ou péssimo. A proporção é 1-3-6.

Quem afirma ser bom costuma ter uma casa razoavelmente arrumada. As dúvidas, nesse caso, tendem a ser concretas porque são de pessoas que já tentaram outros métodos. E, então, respondo a perguntas específicas, como "É melhor deixar o aspirador de pó no armário ou no depósito?" ou "Eu deixo as toalhas no banheiro. Você acha isso certo?". Esse tipo de cliente também é bom na hora de escolher o que lhe proporciona alegria, e o trabalho flui de modo rápido. Muitas vezes ele precisa apenas de ajuda para revisar seus pontos de armazenamento e então terminamos.

Aquele que é regular, ou seja, que não é bom nem ruim no quesito arrumação, faz a coisa do próprio jeito, e poderia continuar assim sem qualquer problema. No entanto, parece um desperdício não tornar seus esforços mais eficientes. Apesar de designar lugares para guardar seus pertences, esses indivíduos ainda mantêm muitas coisas que não dão alegria, e conservar tudo isso tende a ser bastante complexo, já que há itens da mesma categoria espalhados pela casa. Minhas aulas lhes ensinam o básico sobre colocar o lar em ordem.

Por fim, existem as pessoas que são péssimas na arrumação. A maratona começa quando entro pela porta da frente de suas casas. Ao ver a quantidade de coisas espalhadas, muitas vezes me pergunto se elas fizeram toda aquela bagunça só para me agradar, já que sabem que sou maníaca por organização. Uma cliente me confidenciou que seu quarto só existia para guardar suas coisas, não para dormir ou qualquer outro fim. Na maioria dos casos, antes que esses clientes comecem a fazer a "checagem do nível de alegria", é necessário abrir um espaço no chão e passar o aspirador de pó para então ter condições de empilhar todas as roupas num lugar só.

A despeito de o cliente ser bom ou ruim no quesito arrumação, ele sempre pode aprender a organizar. Porém, aqueles que se consideram completos incompetentes na organização são os que passam pelas transformações mais impressionantes. Uma vez que aprendam como fazer, continuam a arrumar com inacreditável dedicação. A percepção das técnicas de arrumação de um indivíduo são, no fim das contas, apenas suposições preconceituosas. As pessoas que se consideram "péssimas" no ranking da arrumação simplesmente nunca souberam a maneira correta de pôr a casa em ordem e, consequentemente, nunca experimentaram a sensação de ter um lar com ambiente adequado.

Certa vez recebi um e-mail do marido de uma de minhas clientes dizendo que a esposa "parecia uma pessoa diferente". Ela costumava ser do tipo que nunca percebia as coisas, no bom e no mau sentido. "Ela não se preocupava com a bagunça, não demonstrava querer melhorar e nunca retornava um objeto a seu devido lugar. E nada disso a aborrecia. Era eu quem costumava colocar tudo em ordem. Mas agora ela está mudada e muito zelosa no que se refere à organização da casa."

Imagine o impacto que tamanha mudança pode ter em sua vida! **O "deus da arrumação" nunca abandona ninguém, nem mesmo aqueles que não acreditam em si.** Primeiro, é preciso decidir iniciar. Só começamos a transformar nossa vida quando queremos isso de verdade. E, ao terminarmos, certamente teremos uma grande recompensa.

2
Como encher sua casa de alegria

Imagine o estilo de vida perfeito a partir de uma fotografia

A esta altura, você já sabe que ir até o fim no processo de descarte é a principal regra do Método KonMari. Se começar a pensar onde vai guardar cada item antes mesmo de terminar de jogar as coisas fora, não irá muito longe. É fundamental se concentrar primeiro em descartar.

Quem já começou uma maratona de arrumação sabe que o início pode ser meio hesitante, mas, uma vez que se pegue o ritmo, livrar-se dos objetos se torna uma tarefa divertida. No entanto, é preciso ter atenção. Você não pode querer se tornar uma máquina de descarte só porque a sensação é boa. **O ato de descartar coisas de forma aleatória nunca trará alegria à vida.**

Descartar não é a questão; o que interessa é manter aquilo que traz alegria. Se jogar tudo fora, a casa acabará ficando sem nada, e não acho que você será feliz morando em uma casa vazia. O objetivo da arrumação é criar uma moradia repleta dos objetos que amamos.

Por isso é tão importante começar o processo pela definição do que você considera o estilo de vida ideal. A este respeito, tenho um pedido a fazer: por favor, não reprima seus sonhos. Não se contenha. Sinta-se à vontade para viver sua fantasia mais incrível. Deseja viver como uma princesa, com colchas e móveis brancos como a neve? Quer um espaço luxuoso e lindo, com quadros maravilhosos na parede? Ou, quem sabe, um quarto cheio de plantas para se sentir morando numa floresta?

Muita gente acha difícil estabelecer o estilo preferido. Nesse caso, sugiro buscar uma única imagem que represente o seu ideal. Você pode, é claro, criar essa imagem em sua mente. Mas, se alguma fotografia provocar uma sensação "Sim, esse é o tipo de espaço no qual quero viver", isso pode mudar por completo a maneira como você se sente sobre arrumar a casa.

Porém não fique sentada aguardando que a foto chegue até você. O truque é pegar diversas revistas de decoração e analisá-las ao mesmo tempo. Embora possa ser divertido olhar uma revista diferente a cada dia, a variedade de opções pode dificultar ainda mais a identificação daquilo que você deseja. Os ambientes apresentados nas revistas vão parecer maravilhosos. Você se sentirá atraído pelo estilo japonês de decoração num dia e pelo praiano no outro. Será mais fácil, portanto, identificar quais aspectos de cada estilo você gosta se olhar uma diversidade de ambientes decorados ao mesmo tempo. Por exemplo, você pode notar que tende a reagir a salas brancas, ou que se sente atraído por quartos com plantas.

Peça emprestada uma coleção de revistas de decoração ou compre-as na banca e dê uma rápida conferida. Quando encontrar uma imagem agradável aos olhos, guarde-a para usá-la como referência sempre que precisar.

Mantenha com convicção os itens sobre os quais você tem dúvida

Especialistas em arrumação muitas vezes recomendam colocar numa caixa separada os itens que você não tem certeza se quer guardar. Se eles não forem usados após três meses, é porque podem ser descartados. Esta parece uma ideia boa e fácil de ser executada. No Método KonMari, no entanto, recomendo fazer o oposto, provavelmente porque essa abordagem não funcionou para mim, apesar dos dois anos e meio de tentativas.

Quando deparei com essa ideia pela primeira vez, ela me surpreendeu não apenas por sua simplicidade e lógica como também por ser uma ótima desculpa para descartar as coisas. "Bem, não usei isso ao longo dos últimos três meses, então não há por que mantê-lo." Na época, me encontrava tão obcecada por arrumação que comecei a achar que estava jogando fora objetos demais. A lógica desse método, portanto, se encaixava perfeitamente com meu sentimento de culpa. Talvez por essa razão eu tenha aplicado esse conceito durante dois anos e meio, uma proeza inusitada para mim.

O primeiro passo foi colocar tudo que não me entusiasmava em uma sacola de papel e guardá-la na parte de baixo do meu armário, no lado direito. Eu devia ter marcado cada item com a data do "dia do julgamento", mas pulei essa parte, já que não tinha tanta coisa assim. Nos três meses seguintes, a vida seguiu seu curso.

Nunca havia usado o que colocara na sacola. Na teoria, tudo ali dentro estava pronto para ir para o lixo. Isso deveria ter me deixado feliz, mas, na realidade, eu tinha crises de consciência em relação a isso. As roupas no armário estavam organizadas no sentido ascendente e apontando para a direita, o que deveria melhorar meu humor, mas a visão da sacola me provocava um aperto no coração. Achei que a angústia poderia se dissipar se a deslocasse para outro canto do armário e eu deixasse de vê-la, mas não adiantou.

Encontrei ali uma espátula de bambu que alguém me dera de presente e comecei a utilizá-la para abrir cartas, mesmo não precisando dela. Desembrulhei um bloco de anotações que havia comprado por engano e do qual não gostava, e consegui usá-lo uma ou duas vezes. Tudo isso porque eu continuava pensando: "O dia do julgamento está chegando." No fim, me senti muito mais culpada ao descartar as coisas depois de ficar com elas durante aquele tempo do que no momento em que as colocara na sacola.

Após passar por essa experiência, gostaria de dar o seguinte conselho: "Se você não consegue se forçar a descartar algo, mantenha o objeto sem culpa. Não precisa separá-lo ou escondê-lo." Em vez de esperar para ver se vai utilizá-lo ao longo dos *próximos* três meses, por que simplesmente não analisa os últimos três meses e decide de uma vez?

É um crime colocar coisas no limbo para justificar a decisão de jogá-las fora. Deixá-las de lado é insistir em ficar com peças que não nos trazem alegria. **Existem apenas duas opções: man-**

ter ou jogar fora. Caso você decida manter algum item, certifique-se de cuidar bem dele.

Ao resolver manter um objeto que cai na zona de transição, trate-o como se fosse precioso em vez de deixá-lo de molho por um período de três meses por pura boa vontade. Isso evita os sentimentos de culpa ou de dúvida. Coloque-o à vista, para que você não se esqueça de sua existência. Se você pensar, por exemplo, em abrir mão de algo que só é usado numa estação do ano, ótimo; mas, enquanto esse item estiver em sua casa, trate-o com gratidão. E, quando finalmente decidir que ele não lhe dá mais alegria e que já cumpriu seu propósito, agradeça-lhe por tudo e livre-se dele.

Só para deixar claro, vou repetir: **Em vez de esconder as coisas que estão na zona de transição, deixe-as à vista e à disposição.** Estime-as da mesma forma que você faria com algo que lhe traz alegria.

Uma casa alegre é como um museu de arte particular

Após passar grande parte da minha vida dedicada à análise das coisas, descobri três elementos que estão envolvidos na atração que sentimos por elas: a beleza do objeto (atração inata), a quantidade de amor que o objeto recebeu (atração adquirida) e a história ou o significado que o objeto adquiriu (valor da convivência).

Apesar de ter poucos interesses além de arrumar e organizar, adoro visitar museus de arte. Gosto de ver quadros e fotografias, porém minhas exposições favoritas são as de utensílios da vida cotidiana, tais como pratos e vasos. Acredito que, por serem alvo da admiração de tantas pessoas, esses trabalhos artísticos e artesanais são supervalorizados. Às vezes, vejo num museu uma obra que parece ser algo bem comum, mas que exerce uma atração irresistível. Na maior parte dos casos, acho que esse fascínio acontece por terem sido peças estimadas por seus proprietários.

Na casa de meus clientes também deparo com coisas que exercem a mesma atração misteriosa. Minha cliente N, por exemplo, morava numa casa elegante que pertencia à sua família havia quatro gerações, e nela havia muitos pratos. Os armários da sala de jantar e da cozinha estavam cheios deles, e muitos outros se encontravam guardados em caixas no depósito. Quando juntamos todos e os colocamos no chão, eles cobriram cerca de três tatames (1,80m x 2,70m de área). Nessa altura, N tinha praticamente acabado de arrumar a categoria *komono* (ampla variedade de itens) e tinha se tornado bem eficiente na verificação. Por um tempo, tudo o que se ouvia era o tinir dos pratos, à medida que ela os segurava e os colocava de volta no chão, murmurando: "Este prato dá alegria. Esta xícara, não."

Durante esse processo, costumo acompanhar com os olhos os objetos que os clientes estão segurando enquanto reflito sobre como organizar seu armazenamento. Mas, de repente, meu olhar foi fisgado por um prato avulso do cantinho "feliz".

– Aquele prato é muito especial, não é? – perguntei.

N me fitou surpresa.

– Não muito. Para falar a verdade, tinha até me esquecido dele. Não gosto nem do design, mas algo nele me emociona.

Um pouco bruto, cinza e sem enfeites, o pratinho parecia deslocado entre os outros já escolhidos por ela, a maioria com padrões coloridos.

Depois da aula, N me enviou um e-mail dizendo que havia perguntado à mãe sobre o prato. Ela lhe contou que o avô o fizera para a avó, que o guardou até o fim da vida. "É muito estranho, pois, apesar de nunca ter ouvido essa história, o pratinho ainda irradia alegria", escreveu N, relatando ainda diversos episódios sobre aquela peça. Quando retornei à sua casa, o pratinho tinha sido colocado no altar budista para a oferenda de doces, e o afeto que ele transmitia ao espaço me marcou profundamente.

Estou convencida de que as coisas que foram amadas e estimadas adquirem elegância e personalidade. Quando nós nos cercamos apenas de coisas que dão alegria e as inundamos de amor, é possível transformar a casa num espaço cheio de artefatos preciosos, numa espécie de museu de arte particular.

Acrescente cor à sua vida

"Terminei a arrumação e meu espaço está agradável e limpo. E não sei a razão, mas não sinto que realmente acabei." As casas das pessoas que se sentem dessa forma costumam ter um ponto em comum: falta de cores.

Quando a fase de redução do número de objetos termina, está na hora de acrescentar alegria. Em geral, é possível fazer isso decorando o espaço com coisas de que gostamos, mas que não podíamos utilizar antes por algum motivo. Quem tem uma experiência muito limitada na escolha de coisas que dão alegria terá que procurar por elas. Na maior parte das vezes, o que mais falta na vida desses indivíduos é cor. Embora a solução ideal seja comprar cortinas ou colchas novas ou mesmo pintar a casa na cor preferida de cada um, essa pode não ser uma opção imediata para todos.

Nesses casos, a solução mais fácil é usar flores. Ou vasos de plantas. Eu comecei usando flores para tornar meu quarto mais agradável. Ou, para ser mais exata, eu costumava colocar uma única gérbera, que custa em torno de apenas seis reais.

Eu me perguntava por que a cor parecia ser algo tão importante para mim, mas um dia me dei conta de que essa percepção tinha a ver com as refeições que minha mãe preparava. Ela sempre fazia vários pratos e o resultado era muito colorido. Quando apenas uma cor se destacava na refeição, como um frango com cogumelos, por exemplo, ela olhava para a mesa e dizia: "Bege demais. É preciso colocar mais cor." E, então, acrescentava uma travessa com tomates e pimentões sortidos e fatiados. Curiosamente, esse toque iluminava a mesa e tornava nossa alimentação muito mais agradável. Na casa, acontece a mesma coisa. Se o quarto parece nu, uma única flor pode revigorá-lo.

Certa vez visitei a casa de uma celebridade para dar uma aula para um programa de TV. Ela morava num apartamento dúplex, e seu escritório ficava no andar de cima. O espaço de trabalho era limpo e arrumado, com uma única caixa de papelão de documentos no chão. Depois de uma checagem rápida, descemos as escadas para o quarto e ali o mundo era incrivelmente diferente.

A primeira coisa que me chamou a atenção foram as seis máquinas caça-níqueis, estilo fliperama, na estante encostada à parede. Os painéis com personagens de cartuns acendiam e apagavam, e o quarto zunia com o ruído das máquinas. Apesar de já ter encontrado pessoas que tinham inclusive jogos de dardos em casa, nunca tinha visto algo como aquilo. Havia ainda duas outras máquinas desligadas no chão do closet.

"Isso me dá mais alegria que tudo!", explicou ela, com um sorriso confiante. As caça-níqueis eram, para ela, o mesmo que as flores para mim, pensei – só que ela tinha muito mais! Quando terminamos a arrumação, as máquinas iluminadas foram colocadas em um círculo ao redor do quarto, o que deve ter parecido o paraíso para ela.

É muito mais importante enfeitar sua casa com as coisas que você ama do que mantê-la tão vazia a ponto de não existir nada que lhe proporcione alegria. Quando a maratona de arrumação termina, as casas de muitos clientes às vezes parecem um tanto vazias, mas elas mudam e evoluem rapidamente. Um ano depois, a felicidade fica visível. Os objetos que eles amam estão em destaque e até as cortinas e as colchas passam a ter suas cores favoritas. Se você acha que arrumar significa apenas se livrar da bagunça, está errado. Tenha sempre em mente que o verdadeiro propósito é encontrar as coisas que você realmente ama, para expô-las com orgulho em sua casa e viver uma vida agradável.

Como aproveitar ao máximo as coisas "desnecessárias" que dão alegria

"Não tenho certeza se isso servirá para alguma coisa. Mas só de olhar para ele eu já fico feliz. E o fato de tê-lo é o que me basta!"

Em geral, o cliente diz isso enquanto segura algum item que parece não ter uma função compreensível, como uma tira de tecido ou um broche quebrado.

Se algo assim o deixa feliz, a decisão certa é mantê-lo com convicção, a despeito do que qualquer pessoa diga. Mesmo que fique guardado numa caixa, você se alegrará ao tirá-lo para dar uma olhada. Mas, a partir do momento que decide mantê-lo, por que não aproveitá-lo ao máximo? As coisas que parecem absurdas para os outros às vezes são precisamente as que você deveria exibir.

Em geral, existem quatro maneiras de utilizar esse tipo de objeto na decoração de sua casa: posicioná-lo sobre algo (miniaturas, bichos de pelúcia, etc.); pendurá-lo (chaveiros, presilhas de cabelo, etc.); pregá-lo ou colá-lo (cartões-postais, papel de presente, etc.); ou usá-lo para embrulhar ou cobrir (qualquer objeto flexível, como panos, toalhas, etc.).

Vamos começar pela primeira categoria, os itens que são posicionados sobre algo. Nesta categoria estão incluídos não apenas enfeites e bibelôs, que foram feitos para serem expostos desta forma, mas também outros itens. Depositar uma coleção de objetos numa prateleira alta pode dar um aspecto meio bagunçado ao ambiente, então sugiro "enquadrar" o conjunto num prato, numa bandeja, num pano bonito ou mesmo numa cesta. Dessa forma, tudo fica mais arrumado, além de facilitar a limpeza. Obviamente, se você preferir o visual mais casual que se tem quando tudo é colocado direto na prateleira, vá em frente. Outra opção é usar uma vitrine, se possuir uma.

Além de deixar tudo à vista, também é divertido colocar os itens nos espaços de armazenamento. Uma de minhas clientes, por exemplo, prendeu um broche em formato de sapo no meio de um buquê de flores artificiais, deixando a cara do sapo em destaque, e colocou o buquê na gaveta de sutiãs. Nunca vou esquecer seu sorriso ao contar que "ficava feliz só de ver aquela carinha surgindo sempre que abria a gaveta".

Na segunda categoria, de itens de pendurar, é possível usar chaveiros ou presilhas de cabelo como enfeites para o armário. Para isso, basta pendurá-los nos ganchos dos cabides. Itens mais longos podem ser enrolados nos "pescoços" dos cabides, como é o caso das fitas de presentes ou mesmo dos colares que você se cansou de usar. Outra opção é pendurar os objetos em ganchos nas paredes, na ponta do varão da cortina ou em qualquer outro local que você achar possível. Se o item for desajeitado e longo demais, basta cortá-lo ou amarrá-lo para ajustar o comprimento.

Se o número de artigos for grande a ponto de faltar lugar, tente amarrar tudo junto para criar um único enfeite. Uma cliente fez uma cortina com várias capas de celular – que juntas tinham o formato da cara de seu bicho de estimação – e a colocou na entrada da casa. Apesar da visão do focinho do animal balançando no ar parecer um tanto bizarra, a dona declarou que isso transformou a entrada da casa na "entrada do paraíso".

Isso nos leva à terceira categoria, dos itens para pregar e colar. Decorar a parte interna de seu armário com pôsteres que não têm outro lugar para ficar é a prática padrão do Método KonMari. Isso pode injetar um pouco de emoção em qualquer tipo de depósito, inclusive na porta do armário da cozinha, na parte de trás das prateleiras e nos fundos das gavetas. É possível usar tecido, papel ou qualquer outra coisa, desde que proporcione alegria.

Nos últimos tempos, tenho percebido que muitos clientes personalizam os painéis de recados com fotos inspiradoras, tais como imagens de países que desejam visitar. São como colagens daquilo que lhes proporciona alegria. Se estiver interessado, dedique um tempo a fazer um que você realmente curta.

A última categoria para decorar a casa com seus itens favoritos é a de objetos que podem ser usados para embrulhar outros objetos. Vale usar quaisquer coisas flexíveis, como retalhos de tecidos, toalhas de mão, bolsas de compra ou roupas feitas com estampas e tecidos que você adora mas que não combinam mais com o seu estilo. Tudo isso pode ser utilizado para envolver fios longos e feios de eletrônicos ou como capa de proteção para aparelhos eletrodomésticos (por exemplo, os ventiladores durante o inverno). Já as colchas do tipo matelassê e os edredons (que só são retirados do armário no inverno) podem ser enrolados e guardados em sacolas de tecido. Isso funciona tão bem quanto os sacos de armazenamento fechados a vácuo.

Se você gosta de costurar, pode criar uma bela manta de tecido simplesmente desfazendo as costuras das roupas e costurando as pontas para impedir que desfiem. O simples ato de juntar retalhos e produzir algo bonito pode criar um espaço agradável.

Quando terminar, você verá algo que ama em todos os lugares para onde olhar. Ao abrir uma gaveta ou um armário, ao olhar atrás da porta ou da prateleira, seu coração se encherá de alegria. Pode parecer um sonho impossível, mas neste momento ele está a seu alcance. Se você possui um conjunto de coisas variadas que ama, mesmo que elas sejam inúteis, dê-lhes a chance de se tornarem o centro das atenções. Deve ter havido uma razão para você ter trazido essas coisas para casa. Tenho certeza de que todo item espera ser proveitoso para seu proprietário.

Coloque mais brilho nos seus armários

"Enquadre" os objetos

Pendure os objetos

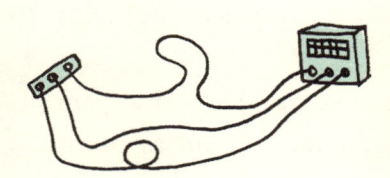

Pregue ou cole os objetos

Embrulhe os objetos

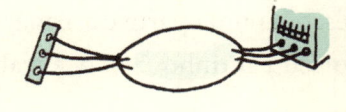

Portanto, quando você encontrar, durante o processo de organização, uma miscelânea de objetos que lhe dão alegria, mas que aparentemente não têm utilidade, recomendo separá-los na categoria "decoração" até terminar o trabalho. Embora você possa parar para decidir como usar o objeto na decoração toda vez que deparar com um, isso acabará prejudicando o processo de arrumação. A inspiração para decorar parece surgir assim que a maratona de arrumação chega ao fim, pois a casa está limpa e organizada e a alegria está no máximo.

Crie seu cantinho energético

Uma de minhas clientes arrumou um quartinho nos fundos de casa e o transformou em seu cantinho pessoal. Ela colocou lá um sofá pequeno e confortável que não estava sendo usado, montou uma estante de livros baixa feita com um conjunto antigo de prateleiras, cobriu as paredes com tecidos que amava, em vez de usar papel de parede, e usou enfeites de Natal para fazer uma luminária estilo candelabro. Fez tudo sozinha, ao longo de três meses, e o resultado foi adorável. Sempre que seus netos a visitam, correm para aquela sala e não saem mais. "Passar o tempo ali, lendo ou escutando música, me deixa muito feliz", contou.

Certifique-se de criar um espaço na sua casa que seja só para você, um local personalizado, decorado apenas com as coisas de que gosta. Se você não tem um cômodo inteiro só para si, escolha uma parte do armário ou da escrivaninha para se tornar o seu cantinho. Se você trabalha em casa e passa muito tempo na cozinha, faça com que determinado ponto desse ambiente irradie alegria. Uma cliente, por exemplo, montou um quadro de feltro para colocar as fotos dos filhos, de suas impressões digitais e dos presentes do Dia das Mães. "Ficou ainda mais gostoso cozinhar", afirmou ela, com satisfação.

O efeito de criar seu próprio cantinho, independentemente da localização ou do tamanho, é imensurável.

Uma de minhas clientes adorava o tema cogumelo. Ela possuía cartões-postais de cogumelos brilhantes, bonequinhos em formato de cogumelo, chaveiros com enfeites de cogumelo e borrachas em forma de cogumelo. "Ele tem características muito atraentes: é protuberante na parte de cima e fino na base. Sem contar que é recatado; ele floresce à sombra das grandes árvores." Ela se entusiasmava à medida que descrevia todos os charmes do cogumelo, e era maravilhoso ver quanta alegria ele lhe proporcionava. Mas, infelizmente, esses itens foram guardados longe de seus olhos. Os cartões, em embalagens plásticas, as miniaturas, em suas caixas, e tudo reunido numa lata que um dia esteve cheia de biscoitos.

Quando lhe perguntei de quanto em quanto tempo abria a lata para dar uma olhada neles, respondeu que fazia isso uma vez por mês. Portanto, mesmo que ela passasse duas horas olhando para eles cada vez que destampasse a lata, teria apenas 24 horas de alegria no ano inteiro. Nesse ritmo, seus preciosos cogumelos acabariam mofando. Aquele era o momento de criar um "cantinho" usando as coisas que amava – os itens que aqueciam o coração – para decorá-lo.

Esta cliente em particular criou seu cantinho do cogumelo dentro do armário. Enfeitou a frente das caixas de plástico transparentes com os cartões de cogumelos, cobriu a roupa de cama com um tecido estampado com cogumelos, pendurou seus chaveiros com berloques de cogumelos nos cabides e deixou à mostra, numa cesta colocada numa das prateleiras, suas miniaturas de cogumelos.

Imagine como deve ser chegar em casa depois de um dia longo e cansativo de trabalho e encontrar um recanto com a sua energia. Se você diminuiu a quantidade de seus pertences mas não sente alegria em casa, tente juntar num único ponto alguns itens selecionados que você realmente ama e crie ali um local especial. Isso deve aumentar muito a satisfação que sente por estar em seu lar.

3
Tudo o que você precisa saber sobre guardar as coisas com alegria

Durante o processo de arrumação, o armazenamento é temporário

A arrumação parece estar caminhando bem, e, de repente, você tem um ataque de ansiedade. Afinal de contas, já reduziu drasticamente a quantidade de coisas que possui, mas ainda não decidiu onde colocar o que sobrou. E, para piorar, a sala parece estar ficando bagunçada de novo. Ou seria imaginação sua?

Não, esses sentimentos não são frutos apenas da imaginação. Muitas pessoas sentem a mesma coisa, em especial quando terminam de organizar as roupas e os livros e estão no processo de "checar a alegria" da categoria *komono* (itens diversos misturados). Durante anos também me preocupei com isso. Mas você pode relaxar. É normal o quarto ficar em desordem no meio da maratona de arrumação. A categoria *komono* abrange uma extensa variedade de itens e, por causa disso, provoca um pouco de bagunça antes de ser organizada.

Certa vez, muito tempo atrás, exigi que meus clientes decidissem onde guardar os itens assim que terminassem cada categoria *komono*. "Coloquem, por favor, o material de escritório nesta gaveta aqui", "Quando vocês acabarem, as ferramentas devem ficar naquele depósito ali", e assim por diante. A sala ficou mais arrumada assim que as coisas foram guardadas e, mais importante, me senti profissional. Isso mesmo, eu estava tentando me exibir.

É bastante difícil dominar a *komono*. Ela é tão abrangente e os pertences diferem tanto de um indivíduo para outro! Para complicar a questão, os clientes quase sempre classificam as coisas de maneira diversa. Enquanto um classificaria um estilete como "material de escritório", outro poderia considerá-lo uma "ferramenta". As pessoas também podem ampliar ou revisar o conteúdo de uma categoria conforme a arrumação avança. "Talvez essa tesoura, na realidade, pertença ao grupo de 'utensílios de cozinha'."

Quando eu instruía meus clientes a guardarem as coisas enquanto as arrumavam, as gavetas organizadas logo começavam a ficar superlotadas e o armazenamento de itens da mesma categoria acabava se espalhando pela casa. Eu entrava em pânico e minha mente ficava bloqueada. No final, com frequência, eu tinha que dizer: "Desculpe, mas você se importa se eu pegar de volta a *komono* que acabamos de guardar e der outra olhada?" E, então, começava a rever as categorias. Em vez de fazer o cliente ganhar tempo, eu o fazia perdê-lo.

Após repetir esse erro algumas vezes, entendi que o armazenamento só funciona no final. Somente quando você termina de analisar tudo é que dá para ter uma noção daquilo que de fato possui e que é possível identificar as categorias corretas. Por conta disso, todo armazenamento deve ser considerado temporário até você terminar o processo de organização.

Uma questão importante durante esse processo é manter tudo em uma categoria, seja material de escritório, sejam utensílios de cozinha, numa caixa organizadora, e não em sacolas plásticas ou de papel, onde você não conseguiria ver o que decidiu guardar. Isso lhe dará uma noção melhor de quanto manteve.

Uma vez terminada a "checagem da alegria" na categoria *komono*, tudo o que você precisa fazer é decidir onde vai armazenar cada categoria. Se você tiver muita coisa, pode ser que não dê para analisar tudo num dia. Nesse caso, não tem problema colocar as caixas no armário por um tempo para abrir um espaço para a sua vida.

Se sobrarem caixas plásticas durante a arrumação, a regra é separá-las, e não se livrar delas. Coloque-as num local designado para estoque e use-as para fazer o "balanço final" das coisas que precisam ser guardadas. Obviamente, se o descarte foi tão grande que sobraram mais caixas do que você precisa, sinta-se à vontade para se livrar delas na hora.

Separe por tipo de material

Para ser sincera, a maneira como decido onde guardar as coisas é por afinidade, mas o resultado final dá a impressão de unidade porque levo em conta os materiais. Quando faço o planejamento geral dos espaços de armazenamento, tenho em mente o material de que cada objeto é feito (tecido, papel ou fio) e coloco os itens compostos de materiais similares próximos uns dos outros.

As três principais categorias de material são tecidos, papéis e equipamentos elétricos, basicamente porque são as mais fáceis de identificar, assim como as mais numerosas e, muitas vezes, as mais espalhadas por toda a casa. O que é classificado como "tecido", caso de aventais, bolsas e lençóis, eu guardo perto de roupas, que representam essa categoria. Já itens como documentos, cadernos, blocos de anotação, cartões-postais e envelopes, coloco perto das estantes porque os livros são os reis da categoria "papéis". Em "equipamentos elétricos", incluo aparelhos elétricos, fios, cartões de memória, e assim por diante. Cremes e loções são itens que classifico como "líquidos", a comida entra em "alimentos" e os pratos podem ser subdivididos entre as categorias "cerâmicas" e "vidros".

Claro que não é possível guardar todos os objetos baseando-se apenas no material de que são feitos. Em primeiro lugar, nem todo item pode ser facilmente identificado como sendo constituído de um único material, e mesmo coisas da mesma categoria podem ter composições diferentes. A questão é não esquecer os materiais na hora de guardar. Isso faz com que o resultado final seja bem mais organizado e simplifica o armazenamento.

Desenvolvi essa abordagem após tentar uma enorme variedade de métodos, e descobri que ela produz um nível de organização completamente diferente depois que tudo está guardado. Cada material gera uma aura especial. Os objetos de tecido e papel, que são de origem vegetal, por exemplo, respiram e parecem irradiar calor. O plástico, por outro lado, é bem mais denso.

Ele não respira e provoca uma sensação de aperto no peito. Os aparelhos de televisão, cabos elétricos e outros itens têm um cheiro penetrante de eletricidade. Juntar itens com vibrações semelhantes parece intensificar a sensação de arrumação, talvez por suas auras serem compatíveis. Nesse ponto, todos os meus clientes que experimentaram guardar coisas por categorias de materiais concordam.

As casas com paredes e armários embutidos de madeira transmitem uma sensação bem distinta daquelas nas quais predominam as mobílias de metal. O mesmo vale para os quartos que armazenam muitos livros comparados com aqueles que têm muitos itens elétricos. Os materiais determinam a emoção do cômodo, razão pela qual é tão importante considerá-los na hora de planejar o armazenamento das coisas.

A sensação de adequação que sinto quando materiais similares são guardados num único lugar é libertadora. Meu coração se sente tranquilo, como se estivesse ajudando no reencontro de velhos amigos.

Arrume as gavetas como as caixas japonesas bentô

"Eu reduzi muito, mas ainda não foi o bastante. Acho que devia reduzir mais, certo?" Essa pergunta foi feita por K na minha terceira visita à sua casa. Ela já tinha progredido bastante no processo de organização, mas sentia que ainda não era suficiente.

Durante o processo, há um momento em que você sente que tem a quantidade certa de coisas. Chamo isso de momento do clique. **É o instante em que após descartar tudo, exceto o que lhe agrada, você sabe que ficou só com o que precisa para se sentir feliz.** Desde que publiquei meu primeiro livro, recebi um bocado de mensagens de pessoas avisando entusiasmadíssimas que tinham descoberto o seu ponto do clique.

Em casos como o de K, a razão é óbvia quando analiso o conteúdo dos espaços de armazenamento. Abro uma gaveta e vejo as roupas lá dentro ordenadas e dobradas de maneira correta, mas existe espaço para pelo menos mais cinco peças. A gaveta seguinte está apenas meio cheia. Na realidade, todos os espaços de armazenamento parecem bem vazios. "Eu descartei tanto que achei que devia deixar espaço caso comprasse mais coisas", explicou a cliente. Eu sei como ela se sente, mas isso é uma armadilha. **A regra mais básica do armazenamento é chegar a 90%.** Uma vez escolhidas as coisas que você ama, a abordagem correta é arrumar as gavetas até que fiquem cheias, mas não estufadas.

É humano querer preencher os vazios. Se nosso objetivo for apenas 70% cheio ou "espaçoso", não apenas perdemos o ponto do clique como, de repente, começamos a acumular coisas que não nos dão contentamento, acabamos comprando novos itens de armazenamento e, por fim, voltamos para onde começamos. Se você ainda não atingiu seu ponto do clique, a melhor abordagem é tentar preencher os espaços em suas gavetas e em seus armários com a quantidade certa. Muitas vezes, só essa providência pode resultar na descoberta de que você já tem o suficiente.

Isso funcionou para K. Ela rearrumou suas roupas de modo que as gavetas ficaram cheias e depois preencheu cada espaço remanescente com canetas e lápis, além de suprimentos para artesanato com contas e miçangas. As duas gavetas plásticas que ela mantinha no chão do quarto logo foram esvaziadas, e tudo coube com perfeição no armário principal.

Na hora de guardar as coisas, pense na caixa bentô. A refeição servida numa caixinha compartimentada é uma tradição da cozinha japonesa, e acho que nenhuma outra cultura no mundo leva as refeições tão a sério como a do Japão. A apresentação é muito importante, e os alimentos coloridos são arrumados de modo delicado em pequenos espaços. Incontáveis receitas são produzidas todo ano especificamente para as refeições bentô, e um concurso nacional é realizado para escolher a melhor sequência bentô.

A caixa bentô resume a singular estética de espaços para armazenamento do Japão. Entre os conceitos-chave, a separação de sabores, a beleza da apresentação e o encaixe perfeito. Se você substituir "separando sabores" por "separando materiais", vai perceber que arrumar as coisas na gaveta usa exatamente os mesmos princípios de arrumar uma caixa bentô.

Outro erro que as pessoas costumam cometer ao arrumar os objetos nas gavetas é usar muitas divisórias. É legal separar as roupas de algodão das de lã, por exemplo, mas não é necessário fazer isso com a ajuda de uma caixa interna ou de uma divisória. Como as roupas são feitas de fibras naturais, elas precisam de um pouco de espaço para respirar, mas não tanto a ponto de perderem o próprio calor. Arrume-as na gaveta imaginando que estão se dando as mãos e você sentirá uma grande sensação de alívio.

Quando for guardar meias e roupas íntimas, é perigoso usar caixas organizadoras com espaços individuais para cada item. Caixas desse tipo podem se tornar ineficientes por (1) deixarem muitos nichos vazios ou, ao contrário, (2) espremerem as roupas evitando que respirem.

No entanto, se os tecidos forem sintéticos, finos e frágeis como o poliéster, com tendência a esgarçar se forem dobrados com muita firmeza, arrumá-los numa caixa menor para separá-los dos outros materiais pode ser uma boa providência. Em alguns casos, outros tipos de *komono* que não são feitos de tecido, como cintos, podem ficar ainda mais bem conservados se armazenados com divisórias. Desde que seja possível ver o que está na gaveta, você está indo bem. Ser capaz de retirar coisas da gaveta com facilidade é um bônus adicional, não uma necessidade.

Os quatro princípios do armazenamento

Juntar todos os itens de uma categoria é a parte mais "alegre" da maratona de organização. A primeira categoria é a de roupas. Quando meus clientes jogam todas as roupas que têm numa pilha imensa no chão e começam a analisar quais lhes trazem alegria, é nítida sua excitação. "Essa é ótima! Estou começando a entender qual é o meu critério de alegria!" Porém, quando estamos prontos para começar a guardar, em geral ficamos sem tempo. "Ah, preciso sair para pegar meus filhos."

Eu preferiria continuar, já que eles ainda estão no clima festivo, mas, em vez disso, passo um pouco de dever de casa. Recomendo que guardem as roupas até a próxima aula e verifico se conhecem realmente **os quatro princípios: dobrar, colocar em pé, armazenar num único local e dividir o espaço de armazenamento em quatro compartimentos quadrados.** Esses princípios se aplicam não apenas ao armazenamento de roupas, mas a qualquer outra categoria.

Tudo que for macio e flexível deve ser dobrado: luvas, itens *komono* de tecido, bolsas de plástico e sacos de lavanderia. Se o item parece macio e flexível, é porque contém ar. Dobrar ajuda a retirá-lo, reduzindo assim o volume e maximizando a quantidade que você pode armazenar.

Tudo que puder ser colocado em pé, mantendo-se na posição vertical por conta própria, deve ser guardado na vertical numa gaveta em vez de na horizontal, incluindo roupas dobradas, material de escritório, remédios e pacotes de lenços de papel. Isso não apenas permite que você aproveite ao máximo a altura de seu espaço de armazenamento como também é a melhor maneira de verificar numa única olhada o que está guardado lá.

Conserve os itens de uma mesma categoria num único local. Se você mora com a família, selecione primeiro por pessoa, depois por categoria e finalmente por tipo de material. Seguir essa ordem simplifica o armazenamento.

O último princípio é dividir o espaço de armazenamento em quatro compartimentos quadrados. Como as casas são basicamente uma combinação de espaços quadrados, criar compartimentos quadrados dentro dos espaços de armazenamento funciona melhor. Se você usar caixas para guardar seus itens, é melhor escolher as quadradas no lugar das redondas.

Se o trabalho de selecionar o que deseja manter exige demais e você não consegue se lembrar dos quatro princípios, foque apenas nos dois primeiros: "*Se está dobrado, está bem! Se fica em pé, está bem!*" Use-os, inclusive, como um mantra para a arrumação. Isso, com certeza, o ajudará a descobrir que precisa de bem menos espaço, sem contar que o interior de sua gaveta logo ficará limpo e arrumado.

Dobre as roupas como um origâmi

Minha cliente E estava selecionando suas roupas. Ela havia acabado de fazer a "checagem da alegria" e, depois de aprender os princípios básicos, começara a dobrar. Como regra geral, minhas clientes dobram as próprias roupas, mas eu ajudo se a pilha for muito grande. Começamos a trabalhar em silêncio, sentadas no chão do quarto entre a montanha de roupas que ela queria manter e as bolsas lotadas de itens aos quais ela tinha dado adeus.

Dobrei uma parca, um casaco com capuz, uma camiseta com franzidos e um enorme laço na frente, um top de jérsei com babados nas mangas, um dólmã curto de malha que parecia um esquilo voador, um cardigã de mangas longas triangulares... Demorei uns dez minutos para perceber que havia algo estranho. Ela parecia ter várias roupas de formatos inusitados. Continuei dobrando, mas comecei a prestar atenção no que E estava fazendo. Ela dobrou uma camiseta simples e depois um top básico, mas, quando pegou uma jaqueta assimétrica de tricô, passou a peça para a minha pilha. Então era isso! Todas as roupas de formatos estranhos e difíceis de dobrar estavam vindo para mim.

– O que você está fazendo, E?! – questionei.

– Desculpe, mas não pude evitar – disse ela. – Nunca conseguiria dobrar uma peça como essa.

A moda atual apresenta cada vez mais bainhas e mangas irregulares. Diante de cardigãs com formatos estranhos e golas amplas, é normal ter dúvidas sobre como começar a dobrá-los, mas o que realmente dá vontade de desistir são as mangas molengas que se parecem com algas marinhas. O segredo para dobrar roupas de formatos estranhos é: não desistir. Roupas são meros pedaços retangulares de tecidos costurados. Independentemente de sua aparência, qualquer peça de vestuário pode ser dobrada no formato de um retângulo. Se você deparar com uma peça de formato esquisito, respire fundo e mantenha a calma. Abra-a no chão ou em outra superfície plana, de modo a conseguir vê-la como um todo. Isso permite que você identifique onde foi acrescentado o tecido extra para criar o volume e como a roupa foi montada. Dessa perspectiva, o formato faz muito mais sentido e deixa de ser uma ameaça.

Uma vez entendido o formato, siga as regras básicas, dobrando as duas mangas em direção ao centro da roupa para formar um retângulo. Se as mangas forem largas demais, dobre-as diversas vezes para evitar que escapem das bordas do retângulo. Dobre no meio o retângulo comprido formado a partir do corpo da roupa, depois no meio novamente, uma ou duas vezes mais.

Dobrar funciona melhor se você encarar a roupa como um origâmi. Depois de cada dobradura, alise a roupa com a mão antes de fazer a próxima. Apesar de não precisar pressionar a ponta da unha ao longo da borda, como faria num origâmi, se você aplicar uma pressão firme, a peça vai manter a forma por mais tempo. Parece tão trabalhoso que você pode desistir no meio do caminho? Não se preocupe. Tente fazer isso pelo menos uma vez. Se dobrar as roupas com cuidado e da forma correta uma vez, a próxima será bem mais fácil. Depois de um mês dobrando dessa forma, você não vai mais precisar de uma superfície plana e será capaz de fazer isso sobre os joelhos ou até sem apoio.

Usar a palma da mão é fundamental. Ela emana um certo calor, uma espécie de "energia". O toque quente faz com que as fibras das roupas se levantem e deixa o tecido firme como papel, facilitando o trabalho. Se você alisar o tecido com a palma da mão e dobrar as peças como um origâmi até deixá-las bem pequenas, suas roupas ficarão em pé sozinhas e poderão ser armazenadas na vertical.

As roupas das crianças não devem ser dobradas como as dos adultos, pois formam pequenas trouxas tão volumosas que não se mantêm dobradas. Em vez disso, diminua o número de dobras até descobrir o formato retangular que segura melhor.

Tudo o que você precisa saber sobre o Método KonMari de dobrar

Se você consegue fazer um retângulo dobrando as pontas em direção ao centro da roupa, é porque domina cerca de 90% do Método KonMari de dobrar. Independentemente da roupa, esse é o objetivo. Dobrar uma roupa às vezes me faz lembrar os monges que esculpem as estátuas budistas. Eles fixam os olhos em um pedaço de madeira até ver o formato da estátua nele, então entalham a madeira até que essa forma apareça.

Embora eu saiba que essa é uma dimensão completamente diferente, a ideia é parecida. Abra a peça de roupa, olhe para ela de maneira intensa e, assim que descobrir seu formato retangular interno, segure as pontas exteriores do retângulo e dobre-as para dentro.

MÉTODO BÁSICO DE DOBRAR

1. Dobre as pontas do "corpo" da roupa em direção ao centro para formar um retângulo.
2. Dobre o retângulo ao meio no comprimento.
3. Dobre novamente ao meio ou em três partes.

O primeiro retângulo é bem comprido. Dobrá-lo ao meio ajuda a reforçar o formato da roupa. Quando dobrar, segure a parte mais fina ou frágil da peça – por exemplo, a gola ou as pernas das calças. Em vez de juntar uma ponta da roupa à barra, deixe um pequeno espaço. O objetivo dessas duas etapas é criar um formato mais firme e liso, então, por favor, ajuste a parte que você está segurando e a largura da abertura para acomodar a roupa. Depois, basta ajustar a altura, dobrando novamente ao meio ou em três partes, dependendo da roupa. Para peças muito compridas, pode ser preciso dobrar quatro ou cinco vezes. Existem muitos truques para dobrar, mas, se você conseguiu formar um retângulo liso, é porque acertou.

Esses retângulos serão guardados na vertical nas gavetas, mas, antes disso, verifique se eles ficam em pé sozinhos, colocando cada um no chão. Se não tombarem quando você retirar a mão, é porque passaram no teste e não vão embolar

Método básico para dobrar

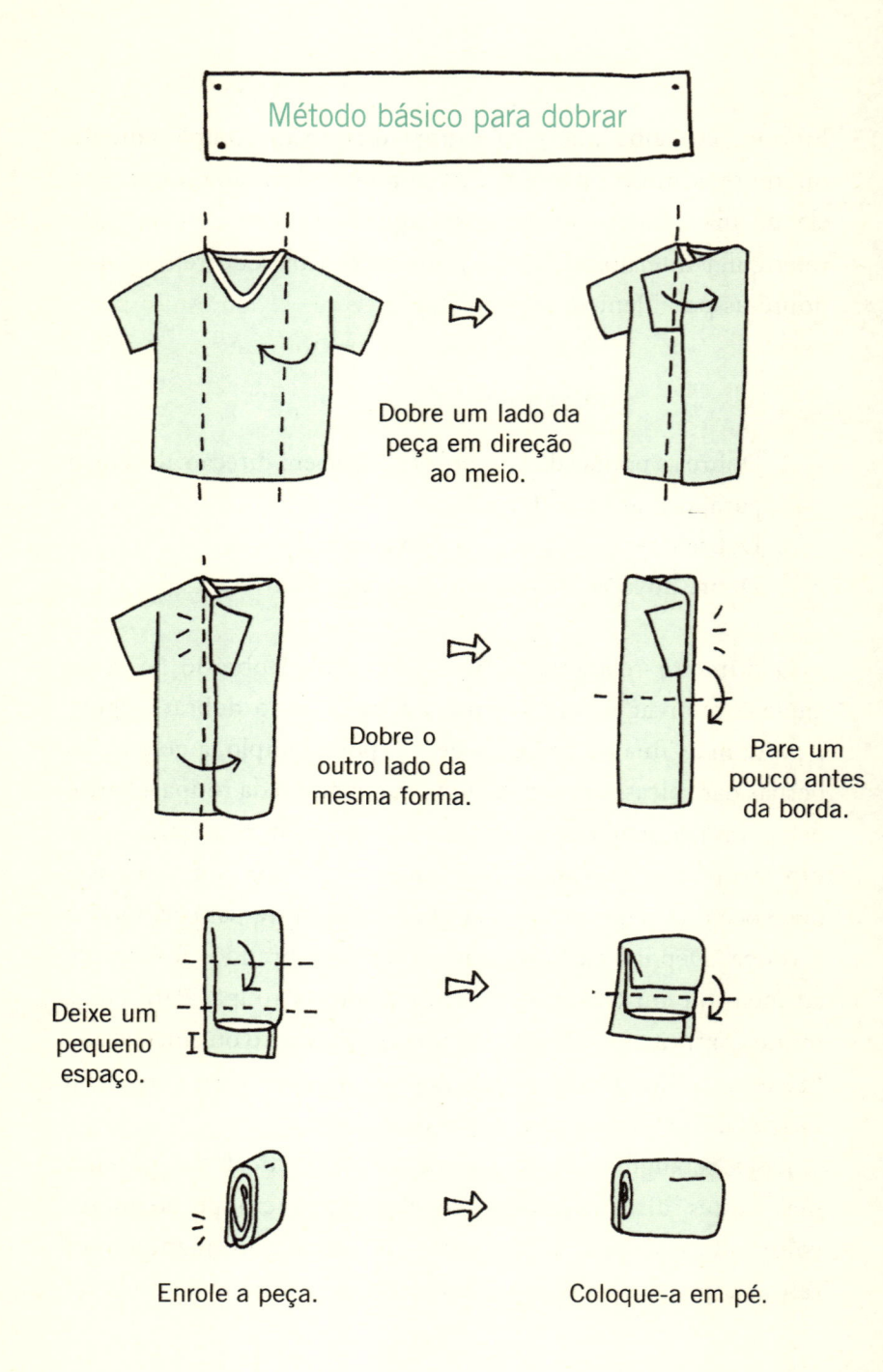

Dobre um lado da peça em direção ao meio.

Dobre o outro lado da mesma forma.

Pare um pouco antes da borda.

Deixe um pequeno espaço.

Enrole a peça.

Coloque-a em pé.

ao serem colocados na gaveta, mesmo que você tire ou ponha outros itens. Se, no entanto, o retângulo for desmoronando aos poucos, as dobras precisarão ser ajustadas. Talvez o retângulo esteja largo demais, ou a altura das dobras nas etapas 2 ou 3 esteja grande ou pequena demais, tornando o retângulo muito compacto. Para algumas peças, pode ser melhor pular a etapa 2 e ir direto para a dobra em três partes. À medida que você for experimentando, vai encontrar a maneira que funciona melhor para o tipo de roupa em questão – o que chamo de "ponto ideal" da arte de dobrar.

Obviamente, existem exceções. A primeira etapa para alguns tipos de roupas, por exemplo, poderia ser dobrar a peça ao meio no sentido do comprimento. A razão pela qual o meu método exige que se dobre primeiro as pontas em direção ao centro para formar um retângulo é evitar amassar o centro da peça. Dobras centrais deixam as roupas amarrotadas. As peças que ficam bem com uma dobra exatamente no meio, no entanto, podem ser dobradas ao meio no sentido do comprimento. Entre elas estão incluídas as de tecidos que não amarrotam de jeito nenhum e os cardigãs e outras peças que já são confeccionadas com uma costura central. As roupas esportivas também não costumam amassar.

Existem algumas roupas que, mesmo dobradas de modo correto, não ficam em pé. Materiais finos e frágeis, como o poliéster, ou macios e volumosos, como a lã e os tricôs de pontos abertos, não mantêm a forma quando dobrados. Em vez de tentar forçá-los a ficar na vertical, deixe-os estendidos após dobrá-los. Para mais instruções sobre como dobrar itens específicos, veja o Capítulo 4.

Planeje o armazenamento visando livrar-se dos móveis usados para armazenar

Embora os pequenos detalhes dependam do design de sua casa, existem duas regras indiscutíveis na hora de decidir onde armazenar as coisas: **usar armários e guardar as coisas grandes primeiro.**

Vamos começar analisando como usar os armários. Primeiro, no entanto, lembre-se do estilo de vida ideal que você imaginou quando começou a maratona de arrumação. Se você tiver fotos ou recortes ilustrando sua preferência, dê uma boa olhada neles. Tenho certeza de que muita gente vai perceber que o espaço idealizado era mais amplo e elegante do que o que está vendo em casa nesse momento. Então, como tornar a casa mais espaçosa? A resposta é simples: livre-se dos móveis. Aqui, quando digo móveis, me refiro àqueles que são usados para guardar coisas, não a cama ou o sofá.

Já consigo ouvir as pessoas falando: "Impossível!" Mas posso garantir que é, sim, totalmente possível. Quando dou aulas, não tenho nenhuma intenção de usar outros espaços de armazenamento além dos que a casa já possui. Não importa qual seja o estado atual da casa, quando imagino como ela vai ficar após o término da organização, visualizo cada cômodo como ele era ao ser montado e decorado pela primeira vez. Visualizo como ele ficará depois que tudo que está ocupando as estantes e as caixas sobre o chão for colocado dentro dos armários e o espaço parecer novinho em folha. Meus clientes duvidam um pouco quando lhes garanto que é assim que suas casas vão ficar, mas quase sempre eu acerto. Às vezes, quando um cliente chega ao fim do processo com muitas coisas que lhe proporcionam alegria, o resultado fica um tanto diferente do que imaginei. Porém, desde que a casa fique como era no dia em que "nasceu", o produto final alcança um alto padrão.

A chave do sucesso no armazenamento é começar a preencher seus armários sob a premissa de que eles podem acomodar tudo o que você possui. Além deles, também considero espaços para abrigar objetos quaisquer unidades anexadas aos móveis, como gavetas embaixo da cama ou estantes no móvel da TV. E todas as peças de mobiliário que você não pretende descartar, como penteadeiras ou armários considerados relíquias familiares. Os armários embutidos são os ideais, pois aproveitam melhor o espaço, mas se não possuir armários assim, use os que tiver em sua casa mesmo.

Quanto à segunda regra, de guardar as coisas grandes primeiro, por "grande" quero dizer itens volumosos, como gaveteiros de plástico, itens sazonais como aquecedores e ventiladores, e araras de roupas. Ao guardar primeiro as peças grandes nos armários, seja nos do quarto ou nos da cozinha, e depois acomodar os itens menores nos espaços que sobram, você estimula energeticamente a "área de armazenamento do cérebro", resultando num sistema que parece funcionar de modo perfeito. As pessoas se surpreendem ao ouvir que é mais fácil armazenar coisas quando o espaço é limitado, mas acredito que as restrições forçam nosso cérebro a pensar em alta velocidade, o que nos ajuda a criar um armazenamento melhor.

O armazenamento ideal cria uma sensação de alegria em sua casa

Neste livro, analisamos a maneira de armazenar itens que são comuns à maioria das casas, mas que podem ser difíceis de guardar. Para os itens *komono* não mencionados, desde que você siga a primeira e mais importante regra de armazenamento por categoria, não deve haver problema. Se achar melhor, crie suas próprias categorias para os objetos que não se encaixam em padrões como material de escritório, cabos elétricos, remédios ou ferramentas. Por exemplo, quem gosta de arte pode querer uma categoria "material artístico". Se você é como uma de minhas clientes, que gostava tanto de colecionar rótulos que possuía duas gavetas cheias deles, pode criar uma categoria independente chamada "rótulos". Para quem tem muitos interesses e todos os equipamentos a eles relacionados, desde ciclismo até corte e costura, pode ser útil criar uma categoria geral de "equipamentos para hobbies". Uma solução para o estoque extra de sabão em pó e esponjas que não cabe em um único lugar é definir uma categoria separada de "material de consumo" e dedicar uma gaveta inteira a eles num armário ou depósito.

Lembre-se de guardar coisas de naturezas similares próximas umas das outras. O armazenamento deve ocorrer sem problema se você seguir esse raciocínio. Para algumas pessoas é natural guardar as máquinas fotográficas digitais perto dos itens de computador porque são afins; para outras, a lógica de proximidade para o computador é o material de escritório, pois ambas as categorias entrariam na classe mais ampla de "coisas de uso diário". O processo é como um jogo de associação de palavras. Conforme você joga, logo descobre que coisas similares acabam, de forma natural, lado a lado. Na realidade, categorias aparentemente diferentes se sobrepõem um pouco, existindo uma gradação na interação. Ao usar a intuição e buscar as conexões que nos levam a guardar coisas similares próximas umas das outras, a gradação se tornará mais óbvia. Nesse sentido, guardar seus pertences é como criar um lindo arco-íris em sua casa. Como é uma gradação, você não precisa se preocupar se as fronteiras entre as categorias são um pouco difusas.

No final, você terá sucesso se souber onde encontrar tudo que tem em sua casa e se a localização de cada coisa parecer se encaixar com naturalidade tanto para você quanto para seus pertences. **Se a sua intuição lhe diz que esse pode ser o lugar, então, pelo menos por enquanto, é bem provável que você esteja certo.** Para decidir em qual categoria está determinado item e onde ele deve ser guardado, é importante não refletir demais. Desde que você tenha escolhido as coisas de que gosta, relaxe e desfrute o resto do processo.

Posso dizer com segurança que não existe tarefa mais agradável do que armazenar. Você cria um lar para as coisas que ama, além de explorar suas interconexões. Embora não pareça uma coisa concreta, essa abordagem intuitiva do armazenamento é a maneira mais eficiente e natural de deixar sua casa confortável para você. Organização é a tarefa de deixar sua casa mais próxima de seu estado natural. Portanto, é parte da sua própria natureza.

PARTE II

A ENCICLOPÉDIA DA ARRUMAÇÃO

4
Organizando as roupas

Sua campanha de arrumação começa com as roupas. Junte todas as que você tem em todos os cantos da casa e empilhe-as num único local. Faça isso de maneira rápida e mecânica, como um robô. Quando achar que conseguiu reunir tudo, dê uma última olhada e se pergunte: "É só isso mesmo?" Será que você não se esqueceu de algo que ficou perdido na gaveta de alguém? Assuma o compromisso de descartar qualquer coisa que tenha sido esquecida, com exceção do que está lavando.

Partes de cima

Depois de fazer sua pilha de roupas, é hora da "checagem da alegria". Pegue cada item com as mãos e separe os que irradiam alegria. Conforme expliquei no Capítulo 1, comece com as partes de cima, porque fica mais fácil escolher o que irradia ou não alegria quando o item em questão fica mais próximo do coração. Você pode também definir as coisas que irradiam alegria como aquelas que o deixam feliz. Se você adora uma roupa porque ela o mantém aquecido, por exemplo, mantenha-a sem pestanejar.

Se acha que é algo que pode não querer ver novamente, agradeça pelos serviços prestados e diga adeus. Coloque as roupas que não lhe dão contentamento numa sacola e doe para caridade, ou leve para um brechó de roupas usadas.

Como dobrar camisas

Para saber como dobrar camisas de manga curta, reveja as instruções básicas do método para dobrar, na página 75.

Para as camisas de manga longa, decida a largura que você deseja que a peça dobrada tenha, e só então siga o procedimento básico de dobrar as pontas para dentro de modo a formar um retângulo. O truque é trazer a manga até a extremidade oposta e então dobrar para baixo, acompanhando a linha da peça. O objetivo é evitar que as mangas fiquem sobrepostas, o que criaria volume.

Como dobrar camisas de mangas longas

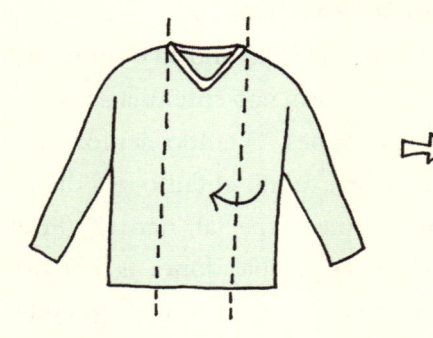

Dobre um dos lados para dentro.

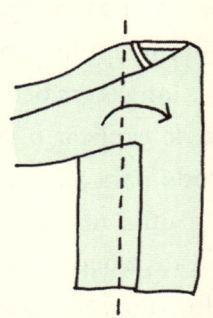

Dobre a manga para que ela se encaixe dentro da largura do retângulo.

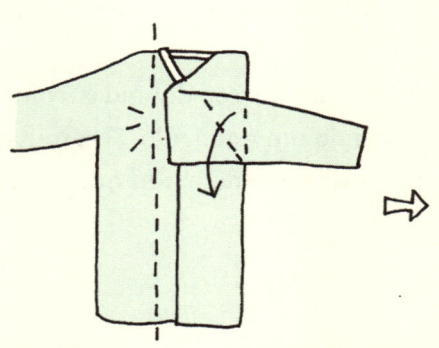

Dobre a manga para trás, alinhada com a borda do retângulo.

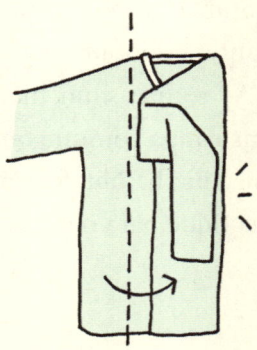

Dobre o outro lado da mesma forma.

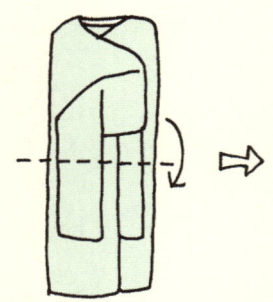

Dobre quase até a borda.

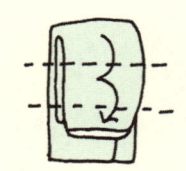

Dobre em três partes para atingir a altura da gaveta.

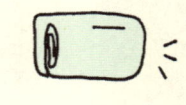

Coloque a peça "em pé".

Em meu primeiro livro, eu disse que você é quem decide como dobrar as mangas, e é isso que ensino nas aulas particulares. Durante muitos anos, achei que o modo como eu dobrava as mangas longas era bem comum e, por isso, não entendia a necessidade de explicar o método em detalhes. Quando demonstrei o método para a repórter de uma revista, no entanto, ela disse: "Essa é uma maneira de dobrar muito especial, não é?" Pela primeira vez percebi que a maioria das pessoas dobra as mangas lateralmente, em duas ou três camadas. A forma como faço pode parecer óbvia, mas insisto que você a experimente. Ao passar as mãos sobre o produto final, você verá que quase não vai existir protuberância perceptível no local onde fica a manga e a peça se manterá dobrada sem desmoronar.

As roupas com manga morcego devem ser dobradas como uma roupa comum, ou seja, formando um retângulo. Se a roupa tem uma bainha franzida, dobre-a ao meio de modo que a bainha fique para dentro.

Como dobrar camisas com formatos estranhos

Dobre as mangas morcego para formar um retângulo e então dobre da maneira tradicional.

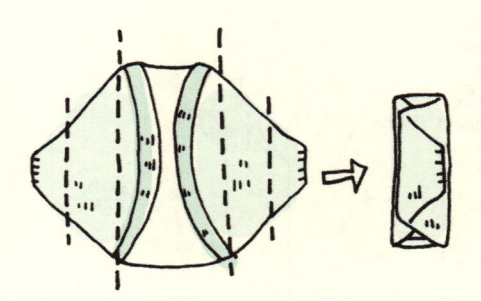

Ou dobre primeiro a peça ao meio e depois forme o retângulo.

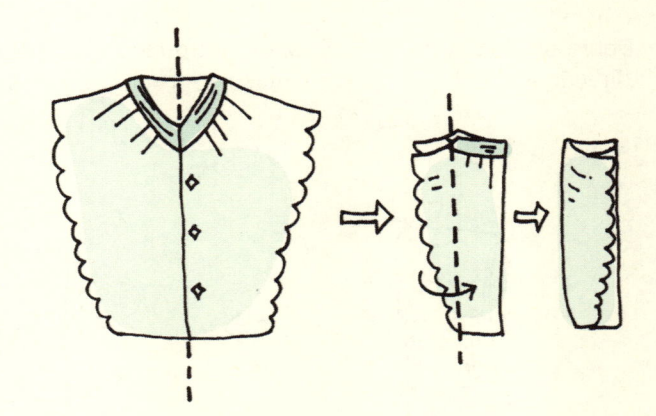

Uma vez feito o retângulo, dobre como sempre, até que fique na altura certa.

Como dobrar camisetas

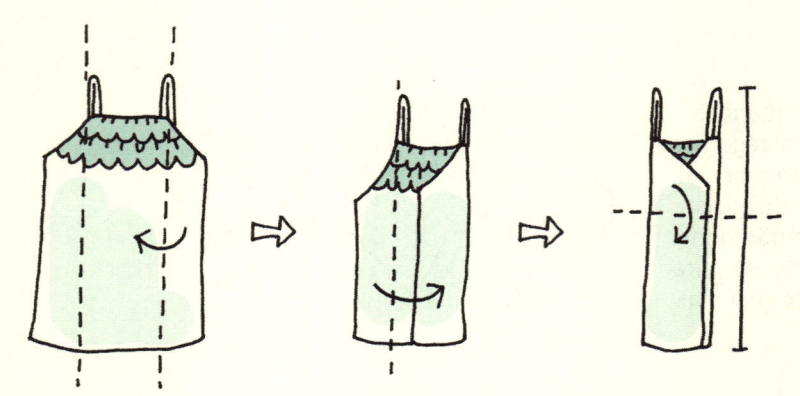

Dobre um lado em direção ao centro.

Dobre o outro lado da mesma forma.

Dobre no meio, inclusive as alças.

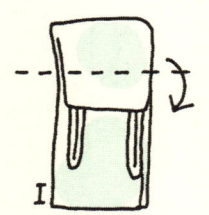

Não se esqueça de deixar um pequeno espaço.

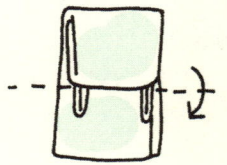

Faça um retângulo liso.

Como dobrar camisetas

As alças das camisetas, regatas e combinações não são acessórios, muito menos enfeites. Portanto, trate-as como parte integrante da peça. Isso significa que depois de dobrar as laterais para dentro, de modo que uma camiseta, por exemplo, fique com um terço de sua largura original, a peça deve ser dobrada ao meio considerando-se o comprimento das alças. Daí em diante, você pode seguir o procedimento normal para ajustar o volume final à altura que deseja. Tecidos com textura irregular ou muito finos dificultam o procedimento de dobrar a camiseta em três. Nesses casos, funciona melhor dobrá-la ao meio.

Quando são feitas de poliéster e outros tecidos leves, elas não ficam "em pé" depois de dobradas da maneira convencional. Comece dobrando as laterais para dentro e depois no sentido do comprimento. Agora, enrole a peça a partir da dobra e ela permanecerá enrolada mais facilmente. Se mesmo assim não conseguir que fique "em pé" sozinha, procure encaixá-la em qualquer cantinho livre da gaveta. As outras roupas vão segurá-la no lugar. Esse truque também funciona com outras roupas molengas, como as blusas de chiffon.

Como dobrar parcas e golas rulês

Como sempre, dobre os dois lados para dentro de modo a fazer o retângulo. Para simplificar o procedimento, dobre para dentro do retângulo o capuz ou a gola rulê, que são basicamente elementos adicionais. Agora, basta dobrar a peça para que ela caiba na sua unidade organizadora. Se a gola não for muito comprida, dobrá-la para dentro do retângulo vai deixar a peça mais volumosa. Nesse caso, faça da maneira convencional, sem dobrar a gola para dentro.

Como dobrar roupas volumosas

Se você tentar dobrar roupas grandes e volumosas, como suéteres e malhas de lã, em embrulhos compactos para que fiquem em pé, elas vão se expandir. O segredo é dobrar deixando-as meio frouxas. Se não ficarem em pé na gaveta, não tem problema colocá-las esticadas. A questão é que elas ocupam muito espaço, mesmo quando dobradas corretamente. Por isso, durante os meses que não for usá-las (elas são úteis apenas no inverno), é melhor compactá-las antes de guardar.

Como metade do volume é ar, a melhor solução é usar uma sacola estreita, talvez uma bolsa de compras ou uma bolsa com cordão. Pressione a roupa para tirar o ar à medida que você a insere na bolsa. Dê preferência aos modelos feitos de tecido em vez de material sintético. O segredo é usar algo que seja duas vezes menor, de modo que reduza o volume da roupa, funcionando como um fechamento a vácuo.

Como dobrar parcas

Estique o capuz e dobre-o para dentro.

Faça o retângulo e coloque a peça "em pé".

Como dobrar roupas grandes e volumosas

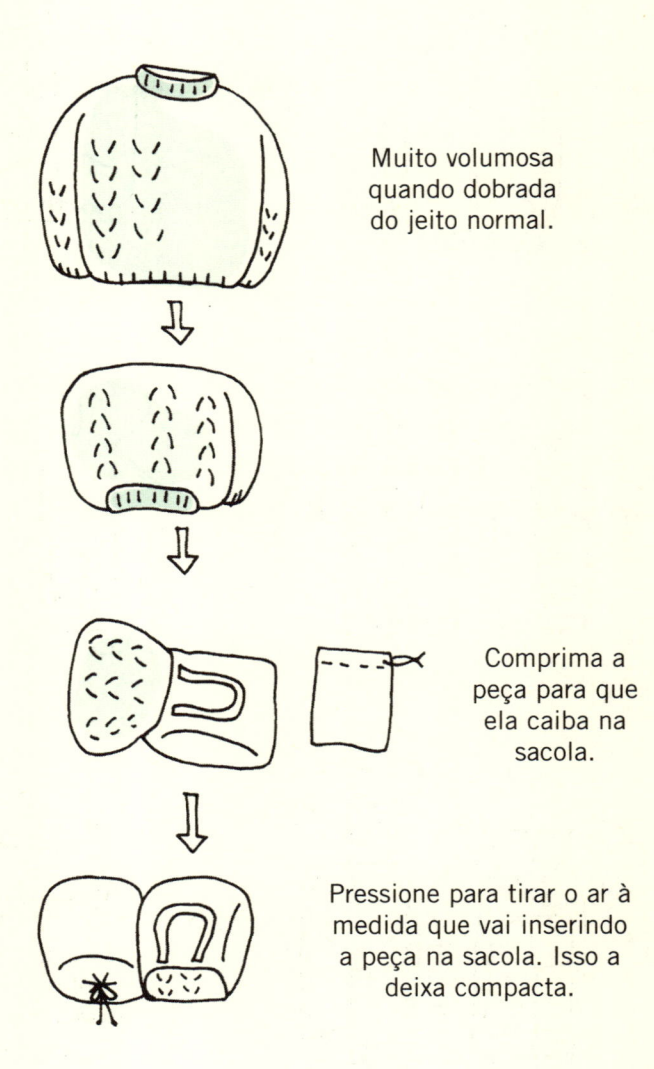

Muito volumosa quando dobrada do jeito normal.

Comprima a peça para que ela caiba na sacola.

Pressione para tirar o ar à medida que vai inserindo a peça na sacola. Isso a deixa compacta.

Como dobrar roupas com enfeites

Enfeites são delicados. Eles se soltam facilmente, se prendem nas outras roupas e podem ser destruídos na hora que se tira ou se coloca a roupa na gaveta. Por esta razão, as roupas com detalhes precisam ser manuseadas com atenção e cuidados especiais. Quando olho para blusas e camisas desse tipo, primeiro analiso quais partes precisam ser mais protegidas. A roupa deve ser dobrada de modo que o ornamento fique para dentro. Se ele estiver no meio da roupa, dobre de forma que a parte lisa fique para fora. Se a roupa tiver babado, renda ou outras ornamentações na bainha, levante essa parte dela em vez da gola na hora de dobrar ao meio, depois de ter dobrado as mangas. Se os enfeites ficarem escondidos após a roupa ser dobrada, é porque você acertou. Os botões dos cardigãs e as golas das camisas polo também devem ser dobrados para dentro da peça, para ficarem protegidos.

Partes de baixo

Selecione-as por categoria, como calças, jeans, saias, e assim por diante. Se você descobrir que tem muito de um item, como calças brancas ou jeans, e não tiver certeza do que quer manter, experimente cada peça e reflita objetivamente sobre a frequência com que a usa. Se estiver sem vestir alguma coisa há anos, é quase certo que nunca mais a usará novamente. Essas roupas protegem a parte inferior de seu corpo, portanto escolha as que irradiam alegria.

A regra para guardar é dobrar as calças de algodão e os jeans, mas pendurar os modelos mais formais, como as calças de ternos e as que têm vincos. No caso das saias, você pode economizar espaço pendurando duas saias no mesmo cabide, de preferência modelos de cores ou formatos similares.

Como dobrar calças e shorts

Dobre uma perna da calça sobre a outra. Dobre as pernas para cima na direção do cós, mas deixando o cós de fora, e então dobre novamente em três partes ou até que a altura caiba no local de armazenamento. Os shorts só precisam ser dobrados uma vez no sentido do comprimento e então mais uma vez ao meio. Os shorts com mais volume, como aqueles feitos de lã, e as saias-calças quase sempre ficam mais bem dobrados se você começar dividindo a peça em três partes. Depois é só dobrar ao meio no sentido do comprimento.

Como dobrar calças compridas

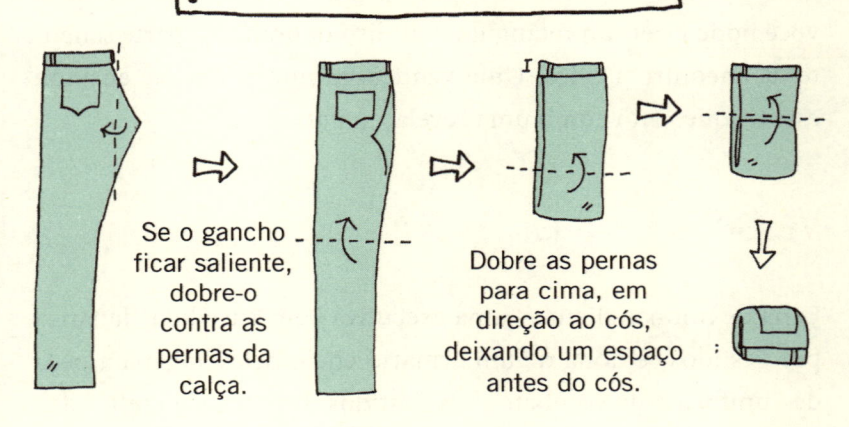

Se o gancho ficar saliente, dobre-o contra as pernas da calça.

Dobre as pernas para cima, em direção ao cós, deixando um espaço antes do cós.

Como dobrar shorts

Dobre a ponta do gancho contra as pernas do short.

Dobre ao meio.

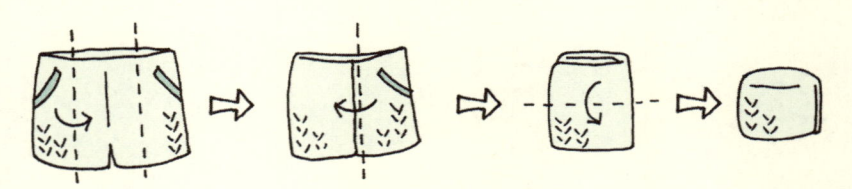

Para tecidos mais duros, dobre as duas pontas em direção ao centro.

Dobre ao meio.

Se o gancho da calça ficar saliente depois de dobrado ao meio, você pode fazer um retângulo mais liso dobrando a parte saliente de encontro à calça. Uma vendedora numa loja me ensinou este truque, e foi como uma revelação para mim.

Vestidos e saias

Uma de minhas clientes, uma executiva bem-sucedida "fanática por vestidos" e dona de um armário cheio deles, chama a peça de "uniforme de combate". Os vestidos devem ser pendurados para que sua capacidade visual de proporcionar alegria seja aproveitada ao máximo, mas, se for preciso dobrá-los, use a ilustração ao lado como guia. Se você está na dúvida sobre se deve pendurar ou dobrar uma saia, a regra básica é pendurar apenas as peças que fazem você mais feliz ao vê-las penduradas. Saias rodadas em geral devem ser penduradas, mas ainda assim é útil saber a melhor maneira de dobrá-las na hora de viajar ou se não tiver espaço suficiente nos cabides.

Como dobrar vestidos

Qualquer que seja a amplidão da saia, dobre-a de modo a formar um retângulo.

Dobre a ponta até um pouco antes da borda do outro lado, então dobre ao meio no sentido do comprimento.

Dobre ou enrole o vestido para que ele se encaixe na altura da unidade organizadora.

Como dobrar saias

Dobre a saia de modo que forme um retângulo.

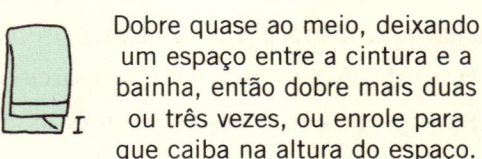

Dobre quase ao meio, deixando um espaço entre a cintura e a bainha, então dobre mais duas ou três vezes, ou enrole para que caiba na altura do espaço.

A saia também se torna um retângulo.

Como dobrar roupas rodadas

Você não deve se assustar com a ideia de dobrar uma saia ou um vestido muito rodado, independentemente da amplidão da peça. Estique-a com cuidado e verá que, como todos os tipos de roupa, ela é basicamente a combinação de dois triângulos e um retângulo. Tudo o que você precisa fazer é dobrar as partes triangulares de cada lado para dentro do retângulo.

Se a roupa for muito evasê, é possível fazer um ajuste dobrando as partes triangulares mais vezes. Se o tecido for muito fino e isso dificultar o controle, comece dobrando a peça ao meio no sentido do comprimento. Desde que forme um retângulo, você pode seguir a sequência básica de dobrar a peça ao meio e depois outras vezes, ou enrolá-la até que fique na altura desejada.

Roupas para pendurar

Roupas feitas de materiais mais volumosos, como jaquetas, ternos e casacos, devem ficar penduradas, assim como qualquer outro item que seja difícil de dobrar ou que amarrote com facilidade, como é o caso das camisas sociais masculinas e das roupas de tecidos leves e esvoaçantes.

Alguns dos itens pendurados em seu armário devem ter custado caro, o que pode aumentar sua relutância em abrir mão deles. É exatamente por isso que a checagem da alegria precisa ser aplicada com mais seriedade. Se a peça não lhe proporciona contentamento quando você a segura nas mãos, mas ainda assim você não consegue descartá-la, experimente vesti-la. Fique em pé diante do espelho e pergunte-se: "Você quer usar isso para ir a algum lugar?" Pense nisso com calma.

Ao pendurar as roupas, certifique-se de arrumá-las de modo que elas apontem para a direita. Mantenha juntas aquelas da mesma categoria: casacos com casacos, ternos com ternos, jaquetas com jaquetas, e assim por diante.

Meias e meias-calças

Reúna não apenas as meias e as meias-calças que estão em uso, mas também quaisquer peças extras que ainda estejam nas embalagens. Se você tem muitas, selecione-as por categorias: meias soquete, meias 3/4, meias-calças e leggings. Há quem ache que não tem problema usar uma meia furada ou uma meia-calça com fio corrido, mas fazer isso é como dizer: "O dia de hoje não importa." Seus pés aguentam seu peso e o ajudam a viver, e são as meias que os protegem. As meias que você usa em casa são especialmente importantes porque são o ponto de contato entre você e a casa; portanto, escolha aquelas que vão tornar mais agradável o tempo que você passa com elas nos pés.

Fazer "bolotas em forma de batatas" com as meias e meias-calças, ou dar nós nelas, é uma coisa cruel. Por favor, pare agora mesmo com esta prática.

Como dobrar as meias

Coloque uma meia sobre a outra e dobre tantas vezes quantas necessárias, de acordo com o tamanho da meia. Este é o item mais simples de dobrar, o que o torna um ótimo exemplo para ensinar as crianças a realizarem esta tarefa.

Como dobrar meias-calças

Primeiro, dobre uma perna sobre a outra, então dobre a meia em três partes no sentido do comprimento. Por fim, enrole-a como um sushi e coloque-a em pé, apoiada sobre a parte que

Como dobrar meias, meias-calças e meias-calças grossas

Junte as pontas das meias soquete e dobre-as ao meio.

Una as pontas das meias de cano curto e dobre-as em três partes.

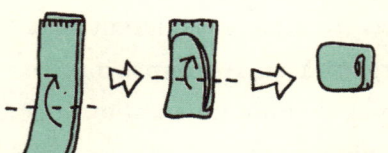

Una as pontas das meias 3/4, dobre-as ao meio, depois dobre novamente no meio ou em três partes, dependendo do tamanho da peça.

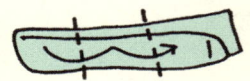

Para as meias-calças grossas, dobre uma perna sobre a outra, depois dobre ao meio no sentido do comprimento e dobre novamente, de acordo com o tamanho da peça.

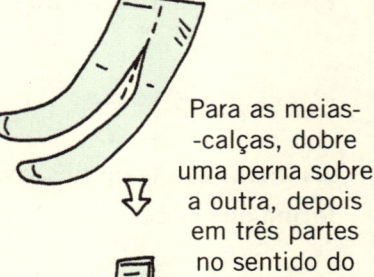

Para as meias-calças, dobre uma perna sobre a outra, depois em três partes no sentido do comprimento.

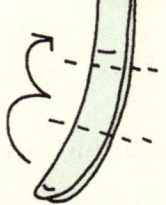

Enrole-as.

tem o elástico. Como as meias-calças se desenrolam facilmente, funciona melhor colocá-las na vertical dentro de uma caixa com divisórias, guardando depois a caixa na gaveta.

Como dobrar meias-calças grossas

As meias-calças de fios grossos devem ser dobradas da mesma forma que as calças.

Roupas íntimas

Esta categoria inclui calcinhas e sutiãs, além de sungas e cuecas. E é de longe a categoria que minhas clientes mais querem substituir quando acabam de fazer a organização. As roupas íntimas podem ser invisíveis para quem olha de fora, no entanto, você deve ativar seu "sensor de alegria" no nível máximo ao escolher o que manter, pois essas peças ficam em contato direto com seu corpo. Mesmo aquelas lisas e simples pertencem ao grupo de roupas que dão alegria, por serem confortáveis ou por fazerem com que você se sinta mais bonita.

Como dobrar roupas íntimas

Para dobrar as calcinhas, que com frequência são feitas de materiais leves e finos, você terá mais sucesso se focar em deixá-las bem pequenininhas. A entreperna é a parte mais delicada e deve ser dobrada para dentro, enquanto enfeites como laços no cós devem ficar visíveis. Comece esticando uma calcinha com a parte de trás virada para cima. Dobre a entreperna para cima, bem abaixo do cós. Dobre as laterais uma sobre a outra, de modo que a entreperna fique para dentro, depois enrole a partir de baixo. Quando você virar a calcinha, ela deve estar com um formato de rolinho primavera, apenas com o cós à mostra.

Quando as roupas íntimas são macias e escorregadias ou são feitas de material tão fino que se desenrolam assim que acabam de ser enroladas, é melhor guardá-las numa pequena caixa. Uma caixa de lenços de papel funciona bem porque tem a largura adequada e pode guardar cerca de sete calcinhas. Obviamente, outro tipo de caixa também traz bom resultado. O importante é que ela acomode bem as calcinhas e deixe você feliz. As calcinhas modelo fio-dental tendem a desmoronar quando dobradas e, por isso, é melhor guardá-las numa caixa pequena ou encaixá-las entre outras peças para que fiquem em pé.

Enrolar as calcinhas de algodão ou de outros tecidos grossos faz com que fiquem mais volumosas e ocupem mais espaço. Em vez de enrolar na última etapa, é melhor só dobrar.

No caso da cueca dos tipos samba-canção, boxer ou sunga, é melhor dobrar as laterais em direção ao meio para formar um retângulo, depois dobrar ao meio e então em três partes. Qualquer outra roupa íntima deve ser dobrada e guardada como as roupas normais.

Como dobrar calcinhas

Parte de trás

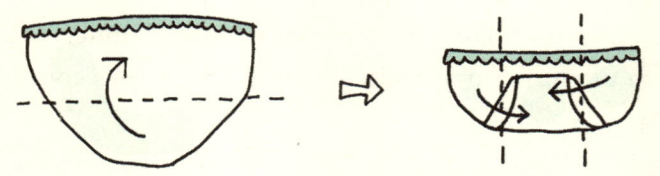

Dobre a entreperna para cima, na direção do cós.

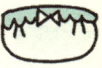

Dobre as laterais sobre a entreperna e enrole.

Vire para mostrar os lindos enfeites no cós.

Como dobrar a cueca samba-canção e a cueca tipo sunga

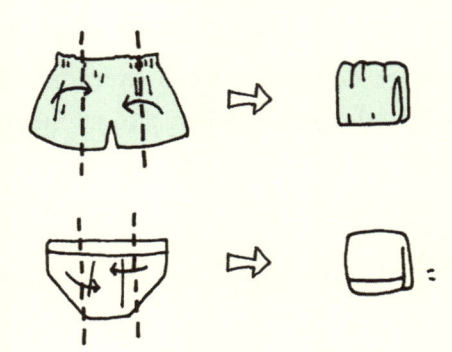

Dobre as laterais em direção ao meio para formar um retângulo, depois dobre no meio e então em três partes.

Cores claras na frente, cores escuras atrás

Guarde suas roupas íntimas deixando as peças de cores claras na frente da gaveta e as cores mais escuras atrás, num efeito dégradé. Quando você organiza as roupas íntimas dessa forma, a gaveta fica parecida com um arco-íris. Meus clientes dizem que suas gavetas de roupas íntimas são tão bonitas que eles não conseguem resistir a abri-las para ficar admirando. O mesmo princípio se aplica às cuecas. Arrume-as de acordo com o aumento gradual das nuances claras para as escuras.

Meus clientes sempre perguntam o que devem fazer se tiverem mais do que uma fileira de roupas íntimas, ou se é legal colocar as roupas íntimas extras nos espaços entre outras roupas. A resposta é sim, desde que ao abrir a gaveta você possa ver o dégradé das cores. Como não existem regras específicas, experimente para entender qual método lhe agrada mais. Afinal, isto é o que realmente importa: a sua sensação de felicidade. Verifique o que você prefere como se estivesse mantendo um diálogo com as suas coisas e com a sua casa. A inspiração que surgir dessa "conversa" é a garantia de que esse é o método certo para você. **Agora que você aprendeu a selecionar as coisas que lhe dão alegria, acredite em sua intuição.** O fator alegria nunca mente.

Viver num espaço limpo e bem arrumado melhora de forma automática sua autoimagem, fazendo com que você sinta dificuldade em aguentar qualquer discrepância entre o ambiente ao seu redor, que lhe traz tanta alegria, e a roupa de baixo que está usando. Isso é parte da maravilhosa magia da organização.

Guarde os sutiãs como se eles fossem membros da realeza

Os sutiãs são os campeões da lista de coisas que minhas clientes substituem assim que terminam de fazer a arrumação. De todas as mensagens que recebo após o término das aulas, as mais inusitadas são as que chamo de "declarações de sutiã". Entre elas, afirmações como "Meus sutiãs mais usados finalmente saíram de casa", "Os sutiãs que já tinham passado bastante de sua data de validade foram viajar" e "Os membros seniores de minha coleção de sutiãs se aposentaram".

Duvido que exista alguma outra profissão que permita uma análise tão privativa das roupas íntimas das pessoas. Dessa perspectiva, eu diria que a maneira como as pessoas tratam a lingerie revela muito sobre a personalidade delas.

Em primeiro lugar, calcinhas e sutiãs devem ser guardados em separado. Às vezes encontro pessoas que colocam calcinhas nos bojos do sutiã para montar conjuntos. Embora não haja nada de errado nisso, recomendo que você experimente tratar seus sutiãs como membros da realeza pelo menos uma vez. Comparados com outras roupas, eles têm um traço de orgulho excepcional e irradiam uma aura diferenciada. Com formatos incomuns e desenhos variados, com enfeites de rendas e laços, os sutiãs quase nunca são vistos quando são usados. No entanto, devem ser tão respeitados como qualquer outra roupa, sendo guardados de modo a preservar seu formato e respeitar sua beleza.

Um erro comum e lamentável é achatar os bojos e depois colocar um atrás do outro, numa fileira. Isso é um desperdício. Vale mais a pena arrumar os sutiãs para que eles descansem tranquilamente em camadas, um sobre o outro. Dobrar as alças e laterais para dentro dos bojos reforça os bojos e facilita a retirada do sutiã sem desarrumar o restante. Arrumá-los numa progressão de cores aumentará sua alegria ao vê-los. Quando minhas clientes passam a aplicar esse método, ficam mais animadas e exclamam: "É como uma vitrine de loja!" Curiosamente, todas contam que ao tratar os sutiãs com mais respeito também se tornam mais cuidadosas em relação às outras coisas.

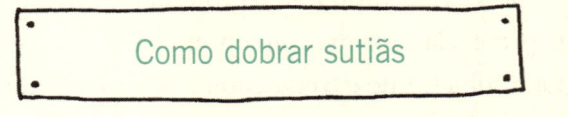

Como dobrar sutiãs

Dobre as alças e as laterais para dentro dos bojos.

Qual seria o lar ideal para um sutiã? No meu livro, sugiro a mais incrível das soluções, que é dedicar uma gaveta só a eles. O que quer que você decida fazer, por favor, crie um lar exclusivo para eles. Isso encherá seu coração de alegria.

Organizar os sutiãs é, na realidade, uma maneira ótima de aumentar o fator alegria. Minhas clientes costumam ficar ansiosas para comprar novos sutiãs assim que terminam de arrumá-los. Em média, elas vão comprar novos modelos em menos de uma semana, e algumas chegam a sair de casa comigo para ir ao shopping no momento em que a aula acaba. Certa vez, uma delas anunciou: *"Este sutiã não irradia nenhuma alegria!"* Para minha surpresa, ela retirou o sutiã preto básico que estava usando bem na minha frente e o colocou na lixeira. Na aula seguinte, essa mesma cliente, com nítida satisfação, me mostrou sua gaveta de sutiãs. Arrumados numa cesta de ratã que ela antes usava para guardar toalhas, eles pareciam muito elegantes.

Um closet que traz alegria

Guardar as roupas é fácil. Primeiro, pendure as roupas que você está armazenando em cabides. Se forem muitas, dobre o máximo que puder para economizar espaço e guarde tudo em gavetas. Use gaveteiros para guardar roupas relacionadas aos itens *komono* e também para qualquer outra categoria *komono* que pareça se encaixar, tais como acessórios e peças de uso diário.

Geralmente, a prateleira de cima fica para as bolsas, os chapéus, os itens *komono* que estão fora da estação e também os de valor sentimental. Se mais de uma pessoa usa o armário ou o closet, certifique-se de destinar um espaço individual para cada uma. Se você tem caixas de plástico ou prateleiras, recomendo usá-las como organizadores e colocá-las dentro do armário, se houver espaço. Se acabou de se mudar e não tem gavetas para guardar as roupas, espere para comprar algumas quando terminar de fazer a checagem do nível de alegria.

Se você tem um closet, explore ao máximo sua profundidade e sua largura. Escolha gavetas fundas para guardar as roupas dobradas. Uma prateleira do alto pode ser usada para guardar itens sazonais e coisas que são usadas apenas de vez em quando, tais como enfeites de festas e equipamentos de recreação.

A grande vantagem dos closets é que eles têm profundidade. Mas as paredes nuas podem parecer muito grandes e desoladas. Conforme mencionei antes, essa é a oportunidade perfeita para acrescentar um pouco de alegria ao espaço. Uma de minhas clientes colou as fotos de seu casamento num canto do armário e guardou ali todos os itens relacionados ao casamento, inclusive o quadro de boas-vindas e a almofadinha das alianças. "Eu teria vergonha de exibir essas coisas num local onde todo mundo pudesse ver. Agora, só preciso abrir a porta do closet para relembrar o sentimento de felicidade que experimentei no dia do meu casamento." O sorriso tímido no rosto dessa cliente, em geral tão séria e profissional, também me trouxe doces lembranças.

O closet é o espaço onde você tem liberdade para fazer o que quiser. Certa cliente que gostava de inventar soluções criativas usou o espaço de baixo como um estacionamento para os minicarros dos filhos, o que se mostrou bastante popular, porque as crianças adoraram a brincadeira de estacionar os brinque-

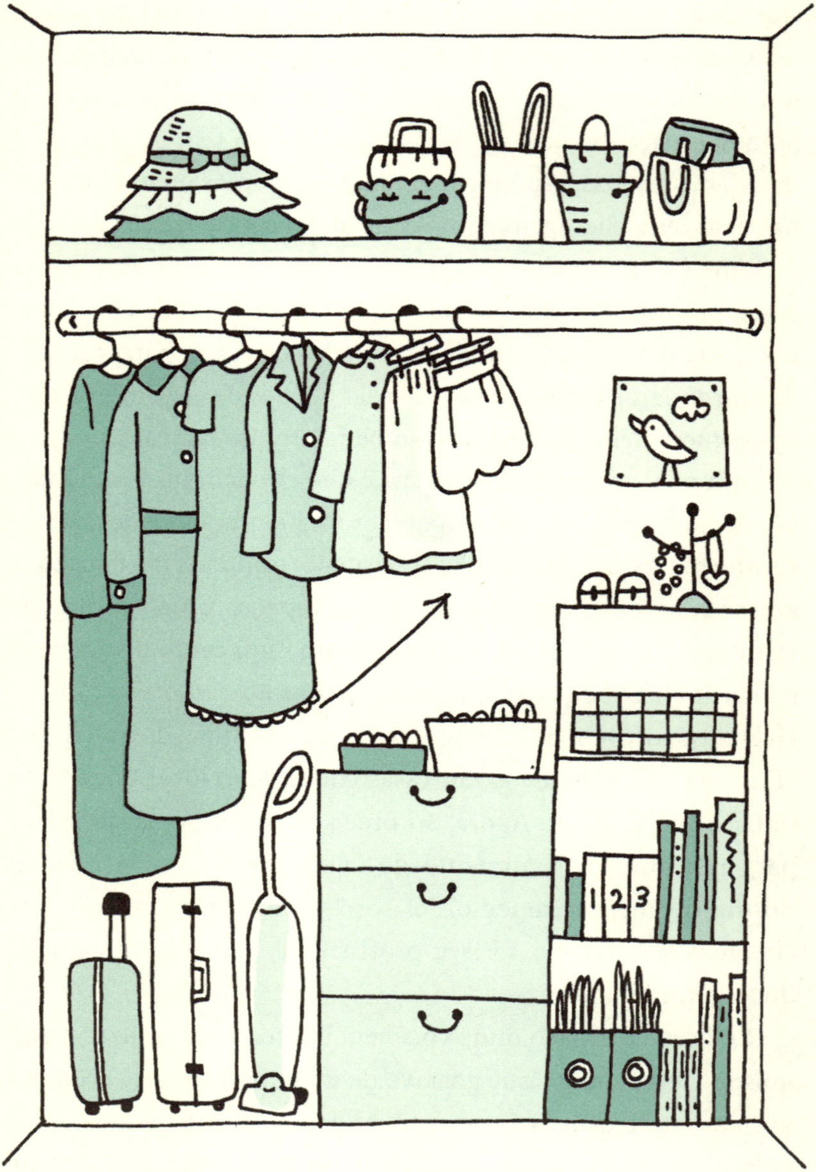
1 2 3

dos na hora de guardá-los. **Se você encarar o closet como um quarto pequeno, será capaz de criar um lindo espaço de armazenamento.**

O meu método de organizar armários se desenvolveu a partir das experiências que tive. Por isso, fiquei impressionada ao descobrir que não fui pioneira. Durante uma visita ao Museu Yayoi, em Bunkyo Ward, em Tóquio, vi uma gravura que mostrava um armário japonês moderno. Intitulada "Ideias sobre closets", ela mostrava um armário com uma estante de livros dentro. Tinha uma boneca linda no alto e um tecido bonito cobrindo as prateleiras. A gravura foi impressa na *Himawari*, uma revista feminina popular, publicada pela renomada Junichi Nakahara, em 1948. Obviamente, há mais de 60 anos alguém já usava o closet japonês no estilo ocidental e, para completar, também o embelezava. A gravura representava minha teoria de que o closet (ou o armário) deve ser considerado uma extensão do quarto. Ele é um espaço maravilhoso de armazenamento que pode ser decorado da mesma forma que qualquer outro cômodo e ficar oculto atrás de portas fechadas.

Decidir onde armazenar uma coisa é achar um lar para ela

Muitas pessoas usam gavetas para armazenar suas roupas. Mas qual é a melhor maneira de organizar os conteúdos dessas gavetas? Será mais fácil desfrutarmos uma sensação de alegria com o que está dentro das gavetas se buscarmos uma situação que pareça fazer sentido.

Por exemplo, se uma cômoda tem diversas gavetas, então é natural manter as coisas mais leves no alto e as mais pesadas embaixo. Partes de cima, portanto, devem ficar nas gavetas superiores e partes de baixo, nas inferiores. Da mesma forma, tecidos leves como algodão ficariam nas gavetas superiores, enquanto os pesados como a lã, nas gavetas de baixo. Também faz mais sentido colocar no alto os acessórios que usamos na cabeça, ou perto dela, como lenços e chapéus. Se você aplicar este princípio, terá um conjunto de gavetas "inspiradoras"; e isso, junto com o preceito de pendurar as roupas de modo que elas apontem para a direita, criará o espaço de armazenamento ideal para irradiar alegria.

Distribua progressivamente as cores, de maneira a tornar possível enxergar onde tudo está guardado e também a captar a tendência de cores de seu guarda-roupa. Em geral, as cores escuras ficam na parte de trás da gaveta e as cores claras, na frente. Se você organizar suas roupas como se elas fossem uma onda de alegria indo na sua direção, experimentará uma sensação de prazer sempre que abrir a gaveta.

Assim que atingir um equilíbrio geral, estará na hora de analisar com mais atenção o que está dentro de cada gaveta. **Pense em seu armário como a natureza e no interior das gavetas como o lar das coisas.** Uma sensação de estabilidade e de ordem é essencial se você deseja criar um espaço onde suas coisas possam relaxar e curtir o descanso de que necessitam. Conforme foi mencionado antes, ocupar 90% do espaço da gaveta é melhor quando se guardam roupas, mas peças feitas de tecidos finos e leves, como calcinhas, meias-calças e cuecas, precisam ser armazenadas um pouco mais apertadas para não se desenrolarem.

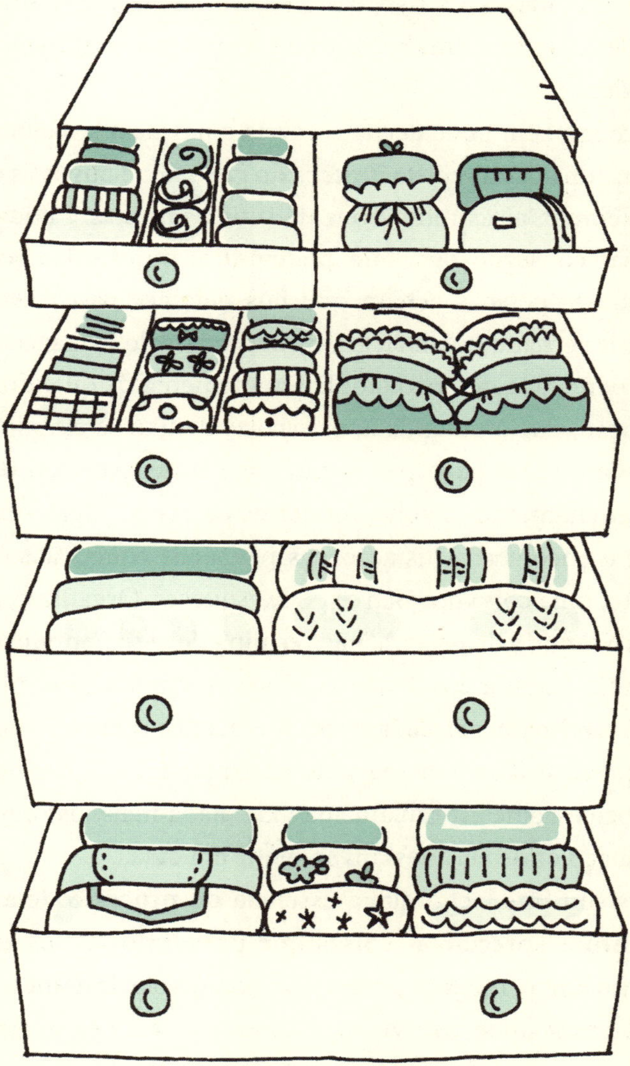

Se as gavetas forem bem profundas, é possível guardar as coisas em camadas. Para isso, basta colocar as roupas dobradas no fundo e sobre elas uma caixa rasa e removível com mais roupas dobradas.

Você também pode deixar a gaveta em ordem se colocar dentro dela uma caixa repleta de itens do *komono* relativos às roupas. Por exemplo, alças removíveis de sutiãs, gravatas e botões, que você não consegue jogar fora, podem ficar numa caixa pequena.

Algumas pessoas acham que tais detalhes não fazem diferença. É verdade que a alegria provocada pelo armazenamento não é percebida de imediato. Diferentemente de quando ocorre a redução, que é atingida após sacolas de lixo se empilharem a cada dia e seu espaço passar por uma transformação drástica, o armazenamento envolve mudar as coisas de lugar sem fazer alarde e encontrar satisfação nas pequenas conquistas. Há, no entanto, uma coisa que não se pode esquecer. Organizar, no verdadeiro sentido da palavra, não termina de jeito nenhum só com a redução do número de peças. Você precisa escolher um lugar confortável para pôr cada item que decidir manter, onde cada item possa brilhar em seu potencial máximo. Como as coisas que você escolhe estimulam sua vida, nada mais justo que criar um espaço onde elas possam se sentir em casa.

Pessoalmente, acho que **a essência do processo de armazenamento é apreciar as coisas que possuímos e nos esforçar para tornar o melhor possível o nosso relacionamento com elas.** Decidir onde armazenar um item é dar a ele um lar. Posso garantir que, após ter colocado seus pertences em ordem com as "especificações de alegria", você sentirá com muito mais força os benefícios da arrumação.

Bolsas

As bolsas devem ser tratadas como se fizessem parte de uma categoria de roupas porque também são guardadas no armário. Você insiste em manter as bolsas que usava diariamente e que já substituiu por outras do mesmo estilo? Isso parece ocorrer bastante com quem tem muitas bolsas. Na realidade, apesar da enorme quantidade que possui, esse tipo de pessoa usa pouquíssimas bolsas. Se você não fizer uma mudança consciente, as bolsas de que você mais gosta ficarão enterradas embaixo de uma montanha de outras que nunca serão usadas. Ao menos foi o que aconteceu comigo.

Quando você terminar de escolher as que quer manter, use o método "bolsa dentro da bolsa", no qual uma bolsa fica guardada dentro de outra. Bolsas maleáveis, como os modelos de tecido, podem ser guardadas dobradas.

Acessórios

Gravatas, cintos, chapéus, luvas, cachecóis e broches usados para enfeitar casacos, mas que são guardados separadamente, são acessórios do vestuário que classifico como *komono* de roupas. Você pode, por exemplo, ter um capuz que não consegue mais combinar com seus casacos. É um absurdo manter itens como este "para o caso" de encontrar outro uso para eles. Aceite o fato de que nunca mais os usará e se despeça deles.

Quando terminar de fazer a seleção, o armário ficará em ordem rapidamente se você colocar os cachecóis, os gorros de lã e outros

Método bolsa dentro da bolsa

Guarde bolsas parecidas juntas, pois elas apoiam uma à outra. É melhor guardar apenas uma bolsa dentro de outra.

Como dobrar bolsas de plástico e de tecido

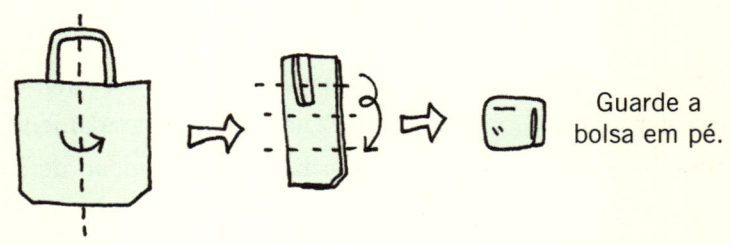

Guarde a bolsa em pé.

Dobre as alças para baixo e depois dobre a bolsa até ela ficar bem pequena.

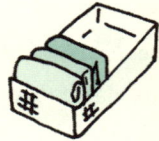

itens dobráveis numa gaveta e guardar os itens não dobráveis numa caixa pequena, que pode ser colocada dentro de uma gaveta ou mantida à vista, como na vitrine de uma loja.

Torne o armazenamento dos acessórios o mais atraente possível

No Japão, existe um ditado que diz: "A beleza não é construída num dia." Ainda que demore, torne o armazenamento dos acessórios o mais agradável possível. Quando inicio essa etapa com uma cliente, o tempo gasto por centímetro de espaço arrumado é maior do que com qualquer outra categoria. Recomendo que você reorganize seus acessórios de modo que o interior da gaveta se pareça com uma vitrine; assim, toda vez que a abrir experimentará uma alegria imensurável.

Se você não possui uma penteadeira, pode usar uma gaveta da cômoda ou mesmo aquela gaveta rasa que toda escrivaninha tem. Para criar divisórias, use caixas pequenas ou as caixas originais dos acessórios. Outra possibilidade é utilizar caixas de bombons que sejam compartimentadas. Recomendo também caixas mais firmes, forradas de papel crepom ou de papel de presente. Essas são soluções rápidas e convenientes, fazendo uso daquilo que está disponível no momento. Faça testes e veja o que prefere.

Se você não tem nenhuma caixa desse tipo, não se preocupe. Uma vez na gaveta, só o fundo fica visível. Mesmo caixas de papelão funcionam se você forrar o fundo com um papel bacana. Essa é a sua chance de usar coisas que dão alegria, mas que nunca tinham sido utilizadas antes – cartões-postais, papel de presente e bolsas com estampas de seu agrado podem ser cortados para cobrir o fundo da caixa.

Pequenos pratos também funcionam como recipientes para acessórios. Uma de minhas clientes abrigou seus acessórios num cinzeiro de cristal escandinavo maravilhoso, que ela comprara por impulso, e ficou bem bonito. Uma nécessaire também é uma alternativa à gaveta. Se você tem uma caixinha de joias de que gosta, vá em frente e use-a. Afinal, elas não apenas são projetadas para deixar os acessórios lindos como também representam a maneira mais fácil e prática de guardá-los.

Mas, se sua caixa de joias não lhe traz alegria, uma opção é desmontá-la e usar suas partes. Muitas vezes surpreendo as clientes ao reaproveitar a caixa de joias que elas estavam prontas para descartar. Sem a tampa, ela se ajusta perfeitamente numa gaveta, enquanto as almofadinhas para anéis se transformam em ótimos separadores. Ter um espírito brincalhão e um pouco de habilidade artesanal faz uma enorme diferença na hora de criar divisórias para os acessórios.

Para evitar que os colares e as correntes delicadas se enrosquem, encaixe essas peças nas fendas cortadas nas beiradas das divisórias. Isso é fácil de fazer se você estiver usando caixas de papel rígido ou de papelão. Outra opção é dobrar levemente os dentes de algum pente decorativo e pendurar um cordão em cada "gancho".

Também recomendo a armazenagem aberta, ou seja, transformar seu depósito de acessórios numa vitrine. Se você tem um quadro de cortiça, use-o para pendurar seus acessórios. E, em vez de utilizar tachas comuns, espete aqueles brincos sem par (você perdeu um deles, mas não teve coragem de jogar fora o que ficou solitário), pois eles vão ajudar a enfeitar o mostruário. Um método mais simples é usar uma gaveta ou caixa para guardar a maior parte de sua coleção, enquanto os acessórios do dia a dia podem ficar num pequeno prato ou numa bandeja.

Gravatas

Guarde as gravatas de maneira atraente e de tal forma que seja fácil escolher qual usar. Uma maneira de fazer isso é pendurá-las. Você pode utilizar um cabide especial ou instalar um suporte para gravatas na parte interna da porta do armário.

Outra maneira de guardá-las é enrolando-as e arrumando-as numa gaveta. Você pode exibi-las como sushis ou como uma fatia de rocambole, com a parte do recheio para cima.

Acessórios de cabelo

As pessoas costumam guardar os acessórios de cabelo junto com os demais acessórios. Se você parou de usar determinado elástico mas adora seus enfeites com brilhos, não o jogue fora. Prenda-o, por exemplo, no gancho de um cabide ou transforme-o numa borla de cortina. É divertido criar acessórios originais que irradiam alegria.

Assim como com os outros acessórios, preste atenção à forma como vai expô-los na hora de guardá-los. O local de armazenamento ficará mais elegante se você separar os itens, como prendedores e elásticos, por compartimento. Mas, se o número de itens for pequeno, não há necessidade de separá-los.

Sapatos

No Método KonMari, os sapatos estão incluídos na categoria vestuário e também são submetidos à checagem de alegria logo no início do processo. Depois que você recolher todos os pares de sapatos que estão espalhados pela casa, enfileire-os sobre folhas de jornal no chão e agrupe-os de acordo com o tipo: sandálias, tênis, botas e sapatos formais. Segure cada par e sinta se ele lhe dá alegria. Se algum não calçar bem ou machucar seus pés, essa é a hora de se livrar dele. Sapatos são importantes. No Japão, há uma expressão – "olhando para o pé da pessoa" – para dizer que estamos formando uma opinião sobre ela. Se você calçar sapatos que lhe trazem contentamento, eles com certeza vão guiá-lo para um futuro mais promissor.

Armazenando sapatos: alegria crescente e constante

Existem apenas dois métodos para guardar os sapatos: colocá-los direto na sapateira ou em prateleiras, ou deixá-los em suas caixas e arrumá-las no armário ou no closet. Se você tiver prateleiras suficientes, é melhor enfileirá-los sem as respectivas caixas, pois elas ocupam um espaço desnecessário. No entanto, se conseguir acomodar mais de um par por caixa, essa também pode ser uma maneira eficiente de armazenamento. Escolha sapatos que não deformem com facilidade e guarde-os de lado. Busque acomodar dois pares de calçados leves, como sandálias de praia, numa única caixa.

Um dos princípios básicos de armazenamento é reduzir o volume e usar a altura. Como não é possível reduzir o volume dos sapatos, nossa única opção é utilizar a altura do espaço de armazenamento. Os organizadores são uma mão na roda para isso, especialmente os de formato colmeia, que aproveitam a altura das prateleiras para empilhar um sapato sobre o outro e assim dobram a quantidade de espaço disponível.

Meu lema para guardar sapatos é "alegria crescente e constante". Os mais pesados ficam embaixo e os mais leves, no alto.

Comece definindo um espaço para cada morador da casa. Se você tem diversas prateleiras por pessoa, coloque embaixo os modelos tradicionais, como os escarpins e os de couro, e em cima os modelos mais leves, como as sandálias.

Dicas para arrumar uma mala

Preparar uma mala para uma viagem de negócios ou de lazer segue os mesmos princípios básicos usados no armazenamento dos objetos em uma casa. As roupas devem ser dobradas e arrumadas na vertical. Dobre os ternos e estique-os por cima de tudo. Arrume os sutiãs por cima, mas não os achate. Coloque as coisas pequenas, como roupas íntimas, numa bolsa de viagem e transfira as loções e os artigos de higiene pessoal para frascos menores, de modo a reduzir o volume.

Eu prefiro desfazer a mala a prepará-la. Assim que chego de viagem, retiro tudo da mala, coloco a roupa suja na máquina de lavar e devolvo o restante ao seu devido lugar. Na sequência, limpo a parte externa da mala e as rodinhas. Costumo estabelecer um tempo máximo de trinta minutos para fazer tudo isso. O objetivo é fingir que você é um robô treinado a desfazer malas e se mover com eficiência e rapidez.

O que fazer com as roupas da família

Uma das perguntas que as pessoas que moram com a família costumam fazer é: "Em que momento devo organizar as roupas da minha família?"

A regra básica da arrumação é que você deve focar primeiro na organização de suas coisas. Assim que tiver terminado essa tarefa, você pode ajudar seus filhos ou seu cônjuge a arrumar as coisas deles. Mas não se esqueça de deixar que eles façam o trabalho de selecionar o que manter. Considerando minha experiência de ensinar a arrumar, a maior parte das crianças de 3 anos ou mais velhas tem condições de escolher o que lhes traz alegria.

Se alguns membros da família ficarem relutantes em fazer o descarte, ensine-lhes a dobrar as roupas e a armazenar de forma vertical. Isso já vai deixar o espaço mais organizado, podendo inclusive motivá-los a começar a descartar. Mesmo que eles não tenham disposição para arrumar as coisas, não repita o meu erro de começar a jogar fora as coisas deles sem perguntar.

5
Organizando os livros

Conselhos para quem não consegue abrir mão dos livros

Se você acredita que os livros são a única coisa a que você não consegue dar um fim e, por isso, tem evitado arrumar a casa, está perdendo seu tempo. Arrumar os livros é a melhor maneira de aumentar sua sensibilidade à alegria e também sua capacidade de tomar uma atitude.

É comum as pessoas alegarem que não descartam um livro porque querem lê-lo mais uma vez. A questão é que, se o livro não lhe traz alegria agora, é quase certo que você não irá relê-lo algum dia. Quando lemos, buscamos a experiência da leitura. Uma vez lido, o livro já foi "experimentado". Mesmo que você não se lembre de todo o conteúdo, ele já foi internalizado.

Quanto às obras que você largou pela metade, ou que ainda não começou a ler, livre-se de todas elas. Livros preciosos que pertencem ao seu Hall da Fama pessoal, ou aqueles que estão em pleno uso, podem, obviamente, ser mantidos com convicção. Quando você guarda apenas os livros que ama, acaba descobrindo que a qualidade da informação recebida muda de maneira perceptível. O espaço que você ganha ao realizar o descarte parece abrir lugar para um volume equivalente de novas informações.

Da mesma forma que procedeu com o vestuário, você precisa começar tirando todos os livros das estantes e espalhando-os pelo chão. Depois, é necessário segurar cada um com ambas as mãos, senti-los e manter apenas aqueles que lhe derem alegria. E de forma alguma comece a lê-los. Se forem muitos para escolher de uma vez só, separe-os por categorias: geral (para leitura), prática (referências, livros de receitas), visual (livros de arte) e revistas. E faça a checagem da alegria em cada uma das categorias.

Séries

Gibis, mangás e outros quadrinhos devem ser organizados na categoria de "livros gerais". Mas, se a quantidade for muito grande, transforme-a numa categoria separada. Na hora de analisar as séries, não precisa segurar cada exemplar. Para checar se elas lhe trazem contentamento, você pode juntar todos os números e abraçar a pilha, ou simplesmente segurar o primeiro volume da pilha com as mãos.

O risco de distração nessa categoria é muito alto. Para evitar perder o dia inteiro lendo tudo, o truque é nunca abrir a primeira página. Verifique se a série lhe dá alegria com um simples toque. Quando, nas aulas particulares, cometo o erro de mencionar alguma série de mangá que o cliente coleciona, é quase certo que ele iniciará uma longa e apaixonada explicação sobre os atrativos da história.

Revistas e livros de arte

Livros com a característica "divertidos de olhar" incluem não apenas revistas e livros de fotografias como também catálogos, livros de arte e afins. Mantenha com convicção aqueles que pertencem ao seu Hall da Fama, ou seja, aqueles que você nem sequer cogita descartar e que tem certeza de que lhe trazem felicidade. E, se as revistas que você assina ou compra com regularidade tendem a se acumular, sugiro estabelecer um número máximo de edições para serem guardadas.

Se você tem interesse apenas em determinados artigos ou fotos num livro, recorte-os. Não é preciso colocar os recortes num álbum de imediato. Guarde-os temporariamente numa pasta de plástico transparente. É possível que você olhe para eles mais tarde e se pergunte por que decidiu guardá-los. E, então, faça uma segunda seleção quando estiver na fase de seleção dos papéis.

Armazenando os livros de forma atrativa

Recomendo que meus clientes guardem seus livros numa estante ou em prateleiras que podem ser instaladas dentro do closet, numa prateleira no escritório ou num armário. A regra básica é manter juntos todos os itens da mesma categoria. No entanto, alguns fogem a essa regra e devem ficar perto daquilo a que se propõem, como é o caso dos livros de culinária, que devem ser guardados na cozinha. Não empilhe os livros. Coloque-os na vertical.

Depois que terminar de organizar seus livros, é possível que você se pergunte se deveria ter mantido tantos. Mas não se preocupe. Sua sensibilidade à alegria vai sendo aperfeiçoada conforme a arrumação continua. Se, mais tarde, você identificar qualquer coisa que tenha cumprido sua função, pode fazer o descarte naquele momento. Ter muitos livros que proporcionam alegria é um grande prazer. Se você segurou cada um e decidiu que os amava de verdade, então mantenha suas escolhas com convicção e trate-as com carinho.

Tranformando-se numa pessoa que combina com os livros que escolheu manter

Quando terminar de organizar seus livros, recue e dê uma boa olhada nas lombadas. Que tipos de palavras chamam sua atenção nos títulos? Se você diz a todo mundo que gostaria de se casar ainda este ano, mas tem um monte de títulos com palavras como "XXX para solteiras", ou que deseja ter uma vida feliz, mas tem uma porção de romances com títulos trágicos, fique alerta.

A energia dos títulos dos livros e das palavras neles contidas tem muito poder. No Japão, dizemos que as "palavras moldam a realidade". As palavras que vemos e com as quais temos contato tendem a provocar acontecimentos da mesma natureza. Nesse sentido, você se tornará uma pessoa que combina com os livros que escolheu manter. Que tipo de livro você quer ter na estante para refletir o tipo de pessoa que você deseja ser? Se fizer a sua seleção seguindo esse parâmetro, vai perceber que o curso dos acontecimentos em sua vida mudará radicalmente.

6
Organizando os papéis

A regra básica para os papéis: descarte tudo

Da mesma forma que procedeu com as roupas e os livros, o primeiro passo na organização da papelada é juntar todos os documentos e papéis que você possui num único lugar. Meu princípio básico? Descartar tudo.

Isso não significa que o objetivo seja descartar todos os papéis. Na realidade, a ideia é fazer suas escolhas tendo como premissa que tudo será descartado. Uma única folha de papel quase não ocupa espaço – este pensamento facilita o acúmulo de uma enorme papelada sem que você se dê conta. Se você não encarar o processo de seleção com o compromisso de se livrar de tudo, reduzirá pouco o volume total. Mantenha apenas os papéis que tenham um propósito claro – aqueles que você está utilizando no momento, os que vai precisar por um período determinado e os que terá de manter indefinidamente.

É importante verificar cada um. Se houver um maço de papéis num envelope, tire tudo, pois pode haver coisas inúteis, como folhetos de propaganda, misturadas a documentos essenciais. Esse tipo de seleção pode ser uma dor de cabeça; portanto, mantenha-se hidratado e abra caminho com firmeza em cada categoria.

Crie uma caixa de pendências

Um item essencial para organizar a papelada é a caixa de "pendências". Coloque todos os papéis que exigem ações, como cartas que você pretende enviar, contas pendentes, etc., nessa caixa e continue arrumando o restante. Mas se esforce para resolver outras coisas, como verificar o que está dentro do envelope ou checar se o panfleto pode ser reciclado, na mesma hora. Se você acumular muitos papéis com pendências, não vai se animar a lidar com eles mais tarde.

De maneira geral, um organizador de revistas no qual os papéis possam ficar na vertical dá uma boa caixa de pendências. Mas você também pode utilizar uma caixa vazia, se o tamanho for adequado, ou mesmo uma pasta de plástico transparente, se a quantidade de papéis for pequena.

Se você estiver realizando a campanha da arrumação com toda a família, certifique-se de que cada pessoa só tenha uma caixa de pendências.

Material de estudo

Você possui as apostilas dos cursos que fez para seu crescimento profissional? Guardou todo o material daquele seminário de desenvolvimento pessoal? As pessoas costumam guardar esse tipo de coisa na esperança de um dia ter tempo para revisar os textos e suas anotações. Mas, seja honesto, você já fez isso alguma vez? Para a maioria, esse "dia" nunca chega.

Esse tipo de curso tem valor enquanto está sendo realizado e só ganha relevância quando colocamos em prática o que aprendemos. Acredito que depender desse material, na realidade, nos impede de usar o que aprendemos. Ao término de um curso, descarte todo o material que recebeu. Caso se arrependa de ter feito isso, faça o curso novamente e dessa vez aplique imediatamente o que aprendeu.

Faturas de cartões de crédito

As faturas de cartões de crédito estão no topo da lista de papéis que as pessoas tendem a guardar. Como são enviadas todo mês, se você tem mais de um cartão, elas se acumulam rápido.

Como as faturas apenas trazem informações sobre quanto gastamos, uma vez confirmado o conteúdo e devidamente registrado na contabilidade da casa, sua função foi cumprida. A não ser que você precise da fatura para o imposto de renda anual, descarte-a. A maior parte das operadoras de cartões de crédito envia faturas por e-mail. Pode valer a pena optar por esse serviço.

Garantias

Todo equipamento elétrico que você compra vem com uma garantia. Esse é o documento mais comum encontrado nas casas, em geral guardado numa pasta tipo fichário ou sanfona. Ter muitos compartimentos é, na verdade, a grande desvantagem desse sistema de arquivamento. Uma vez arquivadas, é improvável que você precise novamente das garantias. Com isso, sem se dar conta, você logo terá fichários cheios de garantias com prazos vencidos.

A solução de armazenamento mais simples é abrigar tudo numa única pasta de plástico transparente. Toda vez que procurar uma garantia na pasta, você poderá ver todas as outras e tirar as que tenham perdido a validade. Se tiver um comprovante de compra, guarde-o junto com a garantia.

Manuais

Além de serem cansativos e difíceis de ler, os manuais são volumes pesados e ocupam muito espaço. A maioria das pessoas preferiria não guardá-los, mas se sente obrigada a isso. É bem comum mantê-los em casa mesmo que o aparelho ao qual ele pertence já tenha quebrado e sido substituído. Fique tranquilo. Você pode jogar fora todos eles.

Mesmo que venha a precisar de um manual depois de ter se livrado dele, a informação pode ser encontrada on-line ou por meio do telefone do fabricante. Se você for o tipo que sente prazer em ler manuais, ou que consulta regularmente o guia de sua máquina fotográfica, analise tudo com cuidado e selecione aqueles de que mais gosta.

Cartões de felicitações

Os cartões de felicitações são, talvez, as coisas mais difíceis de descartar nessa categoria. Eles trazem mensagens especiais dos amigos ou da família e podem ter uma foto na capa, o que os transforma em itens de valor sentimental.

O principal objetivo deles, no entanto, é transmitir um cumprimento. No instante em que você acaba de lê-los, sua função foi cumprida. Guarde apenas o cartão que realmente lhe trouxer alegria.

Recortes

Os recortes com receitas que você prende na geladeira e nunca se transformam em pratos na mesa, os mapas turísticos de lugares que você planeja visitar, os artigos de jornal que você pretende ler e que ficaram datados... Alguma coisa dessa lista lhe traz felicidade neste momento?

Antigamente, eu tinha o hábito de recortar os mapas de Kioto e de Kamakura que encontrava nas revistas, mas sempre me esquecia de levar os recortes quando visitava essas cidades. Acabei jogando tudo fora.

Se você quiser guardar algum recorte, uma solução simples é usar a pasta catálogo, onde são presas folhas plásticas, pois é fácil de folhear. Para aumentar o fator alegria, uma boa alternativa é fazer o seu próprio álbum. Recortes que não precisam ser arquivados, como, por exemplo, artigos sobre lojas que você pretende conhecer, devem ficar na caixa de pendências ou na agenda.

Dedique um dia a resolver as pendências

Assim que terminar de organizar os papéis, verifique o conteúdo da caixa de pendências. Ela está cheia? Quando se trata de papéis com pendências, é melhor reservar uma hora e resolver tudo de uma tacada só. Aqueles que tiverem os conteúdos verificados podem ir direto para o lixo. Estimulado por essa dinâmica, continue a resolver a papelada que precisa de uma resposta ou de algum outro tipo de ação.

É possível resolver as questões pendentes depois de terminar toda a campanha de arrumação, mas as pendências pesam mais na consciência do que você pode imaginar. Você terá muito mais paz de espírito se resolver tudo antes de começar a organizar a categoria *komono*.

Como organizar a papelada no escritório

Se você está arrumando o escritório, a regra é começar com a sua própria mesa antes de atacar qualquer outro espaço comunitário. Organize numa tacada, como faria com sua casa. A ordem básica para organizar é: livros, papéis, material de escritório e, por fim, outros *komono*.

Se você tem uma mesa de tamanho padrão, ela vai exigir em torno de seis horas. Recomendo começar sua campanha de arrumação bem cedo, quando não há quase ninguém no escritório, e dividir a arrumação em três sessões de duas horas, uma por dia. Mas, se você conseguir reservar seis horas inteiras para trabalhar nisso, uma sessão é suficiente.

Seria uma pena desistir porque você está muito ocupado e não tem seis horas disponíveis. Segundo dados estatísticos, gastamos em média 30 minutos por dia procurando coisas, enquanto aqueles que colocam as coisas nos lugares errados podem perder até duas horas por dia nisso. Considerando que trabalhamos 20 dias por mês, isso significa que desperdiçamos até 40 horas só procurando coisas. Se você conseguir resolver esse problema em meras seis horas, o retorno do tempo dedicado será tão surpreendente quanto imediato. Com uma mesa arrumada que lhe traga alegria, sua eficiência no trabalho com certeza aumentará!

7
Organizando a *komono*

Quando se trata de decidir onde guardar seus pertences, a categoria *komono* (itens diversos) é a mais difícil, pois ela contém um número de subcategorias impressionante. Material de escritório, fios e cabos elétricos, cosméticos, acessórios de cozinha, material de limpeza, produtos de lavanderia... O suficiente para deixar sua cabeça girando. Eu também já tive dificuldade para decidir onde guardar a *komono*. Só de pensar nisso eu me sentia febril, e a visão de todas aquelas coisas espalhadas diante de mim me dava vontade de desistir. Cheguei a sonhar que pequenos elfos apareciam e colocavam tudo no lugar enquanto eu dormia. Quando acordei, no entanto, fui confrontada com a dura realidade de que nada tinha mudado. Não sei quantas vezes me peguei olhando desanimada para minhas estantes. Mas não se preocupe.

O segredo para arrumar de maneira rápida e eficiente sua *komono* é conhecer suas categorias. Uma vez identificadas as que existem na sua casa, você pode seguir as três etapas básicas para cada uma:

1. Reúna todos os itens de uma categoria num único lugar.

2. Escolha apenas aqueles que lhe tragam alegria.

3. Guarde por categoria.

Devem existir categorias *komono* que você compartilha com outros membros da família, mas é recomendável começar com aquelas que são só suas. Se mora sozinho, pode começar com a que preferir.

Se você se deparar com alguma que não lhe traz contentamento mas é útil, experimente elogiá-la bastante. Pense em como ela facilita a vida e em como sua aparência é magnífica e suas características são maravilhosas. À medida que você faz isso, começa a sentir gratidão pela maneira como aqueles objetos o ajudam, além de entender como estimulam seu dia a dia. Eles já deixaram de ser apenas algo conveniente e se tornaram agentes de felicidade. Se não achar nada para elogiar, ou se soar estranho exaltar um objeto, siga o que seu coração mandar.

Organizar a *komono* é uma incrível oportunidade de aperfeiçoar sua sensibilidade à alegria. Seus pertences contribuem muito para seu cotidiano, portanto tente se comunicar adequadamente com eles, demonstrando sua gratidão.

CDs e DVDs

A maior parte das pessoas decide começar a organizar as categorias *komono* pelos CDs e DVDs. Isso pode facilitar a escolha dos itens que lhe trazem alegria porque, como fontes de informação, os CDs e DVDs são parecidos com os livros e os papéis. Como nas outras categorias, reúna tudo num único local, segure cada item e mantenha apenas aqueles que lhe dão alegria. Se há algum CD ou DVD sobre o qual você tenha dúvidas quanto ao descarte, coloque-o na caixa de pendências que você criou ao organizar os papéis e analise-o depois. Se você gosta das capas dos CDs e o fato de possuí-las o deixa feliz, guarde-as do jeito que são.

Você pode se deparar com CDs de valor sentimental que ganhou de amigos ou ex-namorados/as, mas, se eles forem apenas lembranças de uma época em que você ouvia esse tipo de música, desfrute a nostalgia dessa memória, descarte o CD com gratidão e pegue o próximo! E, atenção!, não pare para ouvir uma música ou assistir a um DVD.

Material de escritório

O material de escritório pode ser subdividido entre utensílios, artigos de papelaria e material para escrever cartas.

Utensílios

Vamos começar com os utensílios. Isso inclui coisas que geralmente não diminuem de volume, como canetas, tesouras, grampeadores e réguas. Qualquer caneta que esteja fora de uso há algum tempo deve ser verificada para conferir se ainda funciona. Esse é o momento de descartar os objetos que não nos trazem alegria, em especial aqueles recebidos como brindes.

Essa é uma categoria diversificada, caracterizada por uma ampla variedade de itens feitos de diversos tipos de materiais. Divida-a em compartimentos compactos e bem delimitados e guarde na vertical. Pequenos itens, como caixas de grampos, borrachas e lapiseiras, ficarão mais bem guardados se você os colocar em caixas menores, como as usadas para guardar anéis.

Artigos de papelaria

Os artigos de papelaria incluem itens feitos de papel, como blocos de notas, cadernos e bloquinhos autoadesivos, bem como os produtos usados para armazenar papéis, como as pastas de plástico e os fichários.

Você tem dúzias de blocos que ainda não foram usados? Quando as pessoas começam um novo projeto, é natural querer utilizar um bloco novo. Descarte todos os que cumpriram sua função, a não ser que lhe proporcionem alegria.

Não se esqueça de organizar as pastas plásticas. Esse é um dos elementos que se acumulam com mais facilidade. E a recordista entre meus clientes tinha 420. Ela acabou doando as pastas para sua empresa.

É uma prática padrão armazenar os artigos de papelaria ao lado de documentos e papéis, porque eles são, afinal de contas, feitos do mesmo material. Itens pequenos, tais como blocos de notas e bloquinhos autoadesivos, podem ser guardados em pé numa caixa pequena, que pode ser então colocada numa prateleira para deixar o visual mais arrumado.

Material para escrever cartas

Os artigos de papelaria para escrever cartas incluem exatamente o que o nome sugere: papel de carta, envelopes, cartões-postais e afins. Você pode organizar ao mesmo tempo quaisquer outros itens necessários para as cartas, como é caso dos selos e dos adesivos com endereços.

Antigamente, eu sonhava que seria uma grande escritora de cartas de agradecimento úteis e inspiradoras. Cheguei a ter uma coleção de papéis de carta, mas quase sempre perdia a oportunidade de enviar uma e acabava tendo que agradecer às pessoas via e-mail. Se seus papéis de carta não lhe trazem alegria, você não se sentirá motivado a escrever uma carta. A regra básica é manter apenas os itens que nos estimulam a escrever. Você certamente vai encontrar cartões-postais comprados por impulso em viagens e vai se perguntar o que o levou a fazer isso. Se eles deixaram de ser interessantes, agradeça-lhes pelas lembranças e mande-os para reciclagem, mas certifique-se de manter os que têm desenhos de que você gosta, mesmo que nunca vá enviá-los.

Komono de acessórios elétricos

A *komono* de acessórios elétricos inclui desde câmeras digitais e jogos eletrônicos portáteis a computadores. Mas se, por exemplo, seu hobby são câmeras fotográficas e você tem uma grande quantidade de peças e acessórios, pode criar uma categoria separada e resolver isso depois.

As pessoas tendem a guardar celulares velhos. Uma de minhas clientes tinha dezessete aparelhos. Se você tem um vínculo emocional com seu celular que dificulta o descarte, deixe para fazer a seleção junto com a categoria de itens de valor sentimental. Se você quer as fotos que estão nos celulares, coloque os aparelhos na caixa de pendências e não se esqueça de resolver essa questão depois! Quando for descartar celulares e computadores, você pode usar os serviços das organizações de reciclagem de eletrônicos ou das lojas de materiais elétricos.

Fios elétricos

Os fios estão entre os itens mais comuns da categoria *komono* de acessórios elétricos, e muitas vezes formam um emaranhado confuso. Você tem carregadores extras espalhados por aí? E aqueles fones de ouvido que vieram com algum equipamento que você nem lembra mais qual é? Será que precisa mesmo deles?

Retire esse tipo de fio do saco plástico em que está guardado, desenrole-o e segure cada um para fazer a checagem do nível de alegria. Ao fazer isso, você certamente vai encontrar fios que não consegue identificar. Estes fios misteriosos não devem ir para a caixa de pendências. Decida na hora se vai descartá--los. Se você terminou de arrumar os equipamentos elétricos, o trabalho de combinar cada fio com o equipamento será mais simples. Qualquer fio misterioso que restar deve ser descartado sem culpa.

Cartões de memória e baterias

Quando uso o termo "elétrico", quero dizer objetos que parecem ter "cheiro" de eletricidade. As coisas elétricas exalam um odor forte e penetrante, então procure a *komono* elétrica remanescente usando seu olfato como guia.

Além dos cartões de memória, fios USB, discos de DVD vazios, cartuchos de impressora e baterias, você pode incluir qualquer aparelho elétrico de uso médico ou cosmético nessa categoria. Quando vou a casas que têm tomadas totalmente ocupadas ou uma enorme variedade de aparelhos elétricos, o ar na porta de entrada parece mesmo estar carregado de eletricidade.

Produtos de beleza e cosméticos

Como os produtos de beleza são à base de água, o frescor é fundamental. O segredo para aumentar o prazer de cuidar de sua pele é usar produtos dentro do prazo de validade. Se você guarda amostras para usar quando viajar, pergunte-se, honestamente, se já levou alguma com você. Se as amostras são dos mesmos produtos que você utiliza no dia a dia, por que não abri-las e adicioná-las aos frascos já em uso?

Se para você é difícil jogar fora esses produtos, então não os deixe de lado. Use-os generosamente no corpo.

O lugar padrão para abrigar esses artigos de beleza é perto da pia do banheiro, por conta da facilidade de acesso. Se você tiver poucos cosméticos, é mais simples guardá-los juntos num único lugar. Itens pequenos, como amostras e tubos de creme para a área dos olhos, podem ser acondicionados numa caixinha. Se não houver espaço suficiente, uma opção é criar um lugar especial para eles em seu closet ou armário, ou na prateleira onde guarda a *komono*. Se a quantidade for muito grande, você pode dividir os cosméticos entre produtos usados diariamente e usados com menor frequência.

Maquiagem

Lembre-se de que produtos de beleza e de maquiagem devem ser guardados separados. Ao contrário do que muita gente pensa, o produto cosmético não é a mesma coisa que um produto de maquiagem. Do meu ponto de vista, é a natureza dos dois que os diferencia. Loções e cremes para a pele são úmidos e líquidos, enquanto muitos produtos de maquiagem, como pós e pincéis, repelem a água. A exposição destes à umidade pode, na realidade, comprometer sua qualidade. Uma única gota de loção hidratante caída no seu blush, por exemplo, pode estragá-lo. Por isso, é melhor guardar os produtos de maquiagem e os cosméticos em lugares diferentes. Em muitas situações pode ser necessário guardá-los na mesma gaveta, mas é mais seguro colocar os produtos de beleza dentro de uma caixa. Dessa forma, você pode levar a caixa, com tudo dentro, para usar em outro lugar.

Se um produto se encaixar nas duas categorias, como é o caso da base líquida para a pele que também atua como hidratante e dos produtos para cabelo, ele pode ser guardado em qualquer um dos dois lugares. No caso dos perfumes, é melhor deixá-los à vista ou perto dos itens de maquiagem.

Quando for organizar a maquiagem, é melhor ser rígida ao selecionar o que deseja manter. Essa é a hora de se despedir dos produtos velhos ou daqueles que não mais se adequam ao seu gosto.

A maquiagem se destaca em um espaço bonito. O método de armazenamento que utilizo para a maquiagem é o mesmo para os acessórios: em uma caixa dentro de uma gaveta, numa caixa de maquiagem ou numa frasqueira. Se você tem penteadeira, é ali que seus itens de beleza devem ficar. Ter uma penteadeira é um bônus. Menos de 30% de minhas clientes têm e só conheci uma que sabia como maximizar a beleza dela. Em geral, acontece o oposto.

Veja, por exemplo, a cliente M. Quando entrei em seu quarto pela primeira vez, a elegante penteadeira de madeira estava tão caótica que levei um minuto para reconhecer o móvel. Produtos de maquiagem estavam espalhados sobre a bancada – o vidro da base com uma gota bege escorrendo pela lateral, o pó compacto com a tampa quebrada, os estojos do blush e da sombra com as tampas escancaradas, diversos pincéis largados, lixas de unha e batons se projetando de uma gavetinha rasa, impedindo que ela se fechasse. E, pairando por cima de tudo, uma fina camada de pó, como se M tivesse peneirado açúcar ali. Mais parecia uma casa mal-assombrada do que uma penteadeira.

Imagina-se que as pessoas que têm penteadeiras queiram exibi-las com um visual lindo. Mas, com frequência, minhas clientes transformam as suas num estacionamento para produtos aleatórios. Não tenho muitas maquiagens e sou amadora no que se refere ao uso delas. Curiosa para saber se existiam técnicas de armazenamento específicas para maquiagem, estava pensando em entrevistar a equipe da seção de cosméticos de uma loja de departamentos ou em conversar com uma amiga que dominava o assunto quando S me procurou em busca de conselhos. Foi o timing perfeito. S é maquiadora profissional. Além de dar cursos, ela também trabalhou em desfiles em Paris e como maquiadora especializada de celebridades. Agora, tem o seu próprio salão de beleza, onde oferece cursos personalizados.

A maneira como ela guarda seus cosméticos e utensílios é exatamente a que se espera de uma profissional. Quando fui à sua casa, ela tinha acabado de dar a penteadeira a uma amiga, passando a guardar a maquiagem numa caixa quadrada, junto com um espelho dobrável. Dentro, os cosméticos estavam divididos por especificidades: bases, cílios postiços, sombras e delineadores, batons e brilhos labiais, e blushes. Todos os aparelhos e acessórios também estavam divididos por categoria. Sempre que possível, os itens ficavam na vertical, e o conteúdo era arrumado de modo que cada item pudesse ser visto num simples passar de olhos.

– Dividi tudo em grupos. O Grupo 1 tem coisas que uso diariamente e o Grupo 2 tem os produtos que mantenho por perto para dar uma variada. O Grupo 1 contém aquilo de que preciso para fazer a minha maquiagem básica completa, e mantenho tudo numa bolsinha que levo junto comigo para dar um retoque sempre que for necessário – contou ela. – Se a maquiagem for muito trabalhosa, você acaba não fazendo. A regra básica para guardar a maquiagem é eliminar as etapas desnecessárias.

Ela também guardava cotonetes num estojo para cartões de visita, e tirou as sombras da embalagem original para criar a própria paleta.

– Produto sujo é muito nojento. Todo estojo que contenha algum tipo de pó deve ser limpo com frequência. Se não fizer isso, a beleza vai ficando cada vez mais longe. Quanto ao prazo de validade, os pós duram dois ou três anos depois de abertos. Jogue fora os batons depois de um ano, que é quando começam a ter cheiro de óleo. As bases líquidas, que são quase produtos cosméticos, também só duram cerca de um ano – explicou.

Do ponto de vista de uma profissional, a durabilidade das maquiagens era bem menor do que eu imaginava. Em meu trabalho, já encontrei muitos produtos que estavam vencidos havia cinco anos ou mais.

– Não existe regra que diga que se precisa usar maquiagem, certo? Isso significa que, se você quer usar maquiagem, precisa se manter motivada para isso. Portanto, vale a pena ter alguns produtos que aumentem essa motivação. O fator alegria é muito importante para qualquer coisa relacionada a cosméticos. Afinal de contas, a maquiagem faz parte do ritual que prepara você para o dia a dia. Se não está feliz com sua rotina matinal, então é assim que será o seu dia – acrescentou S.

S transformou rápido minha aula sobre armazenamento numa palestra sobre maquiagem e me proporcionou duas sacadas preciosas. A primeira foi que a maquiagem precisa ficar num lugar de fácil acesso. Exatamente por ser uma categoria com muitos itens, é fundamental que um simples passar de olhos os localize. A melhor maneira de fazer isso é guardar cada item separadamente, como fez S. Pode ser uma caixa de maquiagem com diversos pequenos compartimentos, como aquelas dos maquiadores profissionais, uma caixa vazia apropriada ou um organizador.

Você pode ser como eu e não ter uma quantidade de cosméticos que justifique o uso de uma caixa cheia de compartimentos. Nesse caso, a solução mais simples é dividir os itens de maquiagem e os acessórios entre aqueles que podem ser guardados em pé e aqueles que não podem. Arranje um recipiente que possa acomodar produtos compridos, como máscaras para cílios, delineadores e pincéis, na vertical. Pode ser uma lata em formato de tubo, um copo de vidro ou qualquer coisa desse tipo. Os outros itens podem ser guardados juntos numa nécessaire ou caixa. Até pós compactos e conjuntos de sombras podem ficar em pé para economizar espaço. Se você tem espaço de sobra, sem dúvida facilita ver as cores e aumenta o fator alegria se você guardar esses itens na horizontal. Portanto, adapte o armazenamento de acordo com a sua preferência.

Produtos para relaxar

Nos últimos anos, percebi que tem havido um aumento do número de itens relacionados a aromaterapia, como velas e óleos, o que talvez seja uma indicação de que mais pessoas buscam o relaxamento e a cura. Verifique cada item dessa categoria para ver se ele lhe dá alegria, inclusive produtos para massagem e acupressão. Descarte os óleos aromáticos velhos e os perfumes que não agradam mais. Certifique-se de armazenar os produtos para relaxamento de modo que eles também possam relaxar. Você pode aumentar muito o efeito de relaxamento ao escolher um recipiente feito de material natural, como o ratã, e que tenha divisórias.

Remédios

Por alguma razão desconhecida, as pessoas acham que os remédios duram para sempre. Mas isso não acontece. Com certeza você tem, em seu armário de medicamentos, algum remédio que já perdeu a validade há muito tempo. Uma vez, encontrei um frasco que tinha 20 anos. O cheiro era horrível. Descarte os remédios vencidos ou aqueles sem data de validade cuja função você já não se lembra.

A solução mais comum para guardar os remédios é deixá-los na vertical em seu armário de medicamentos. No entanto, se você possui poucos itens, pode colocá-los numa nécessaire que esteja sobrando.

Itens de valor monetário

Com as mãos nos quadris, minha cliente olhou para a *komono* inundando a sala e suspirou.

– KonMari, sei que você disse que devo guardar as coisas de acordo com o material, e até consigo identificar bem quando é tecido, papel e elétrico. Mas como devo classificar as outras coisas?

– Cheirando – respondi.

Ela ficou me olhando, num silêncio constrangedor.

– Feche os olhos – pedi.

Um por um, aproximei três itens do nariz dela por cerca de 10 segundos e então perguntei:

– Qual era o cheiro deles?

– Bem... hum... não sei bem por que, mas de certo modo todos tinham cheiro de dinheiro.

Ela pareceu insegura, mas estava absolutamente certa. Os três itens eram um talão de cheques, uma nota de 10 mil ienes e um vale-presente. Coisas que se encaixam na categoria "itens de valor monetário", como dinheiro vivo, cartões de crédito e cupons, são basicamente "dinheiro". Existe algo nesses itens que emite um forte aroma metálico. Pode ser mais fácil visualizar a ideia se você pensar no cheiro de moedas recém-cunhadas.

Curiosamente, apesar de itens de informação como livros e documentos também serem feitos de papel, da mesma forma que os talões de cheques e o dinheiro, os primeiros têm um odor levemente ácido, enquanto os últimos têm um cheiro adstringente, parecido com o do ferro. Imaginando que essa diferença pudesse estar relacionada aos conceitos de yin-yang e dos cinco elementos, dei uma olhada num livro de feng shui e descobri que livros se encaixam no elemento madeira, enquanto dinheiro se encaixa no elemento metal. Em outro material de referência, li que a madeira é classificada como azeda, enquanto o dinheiro é amargo. Essas características podem ter a ver com elementos físicos diferentes, como o tipo de tinta usada ou o cheiro de mofo que surge quando os livros são empilhados um em cima do outro, mas fiquei feliz por perceber que minha intuição combinava com esse conhecimento ancestral.

Algumas pessoas não têm a minha facilidade para diferenciar cheiros, mas, quanto mais alguém se esforça para reduzir aquilo que possui, maiores são as chances de ela concordar comigo. A aura que as coisas emitem muda dependendo do papel que elas exercem na sua vida, de como são tratadas e das características dos materiais dos quais são feitas. Elas podem não ter realmente um cheiro, mas o meu olfato parece registrar a diferença. Os sentidos humanos têm poderes que nem sempre podem ser explicados pela lógica.

As coisas de valor monetário são a única categoria em que a praticidade, e não o fator alegria, é crucial na hora de selecionar o que manter. Descarte qualquer item cuja validade tenha expirado, coloque aqueles que você quer usar ou guardar na sua caixa de pendências e estabeleça uma data para resolver a questão.

Como são coisas de valor monetário, elas têm lá sua cota de orgulho e devem ser guardados de maneira respeitosa em alguma cômoda ou caixa de madeira. Para guardar os cartões, recomendo usar caixas de cartões de visita. Os cartões que você não costuma levar na carteira, como os cartões de crédito adicionais, os de planos de saúde, etc., podem ser guardados num porta-cartões de visita, mas ficam mais acessíveis se você optar por colocá-los em pé dentro de uma caixa, o que torna esse método de armazenamento mais eficiente. Coisas como a carteira que você costuma usar em viagens, notas de moedas estrangeiras e seu passaporte também entram nessa subcategoria.

Dentre todas as coisas que entram nessa subcategoria, a carteira é como um rei a quem nunca se deve demonstrar respeito em demasia. A rigor, é o dinheiro que deve ser tratado com respeito; mas o dinheiro em espécie deixado à vista é vulnerável. Se você deixa uma nota de cem dólares em cima da mesa, ela perde qualquer resquício de sua antiga majestade. Em vez disso, parece abandonada e constrangida por ser pega desprevenida. Porém, assim que você a coloca na carteira, ela readquire seu orgulho e emana autoridade.

As carteiras, no entanto, ficam surradas rapidamente. O dinheiro é usado de maneira rude. É a sua carteira que abriga de bom grado o dinheiro, com toda a sua bagagem emocional. Para auxiliá-la nessa função de receptáculo, reserve um lugar só para ela. Isso não significa que você precisa fazer algo complicado. Como todos os outros pertences, basta encontrar o lugar adequado para ela. **Ao cuidar com carinho de sua carteira, você se sentirá grato toda vez que tirar algum dinheiro dela. Isso vai mudar a maneira como você usa o dinheiro.** Muitas vezes, o cliente diz: "Agora eu me sinto muito grato quando retiro o dinheiro de minha carteira, pois isso permite que eu coma três refeições por dia e compre coisas que me dão alegria. Esse hábito realmente mudou a maneira como gasto dinheiro."

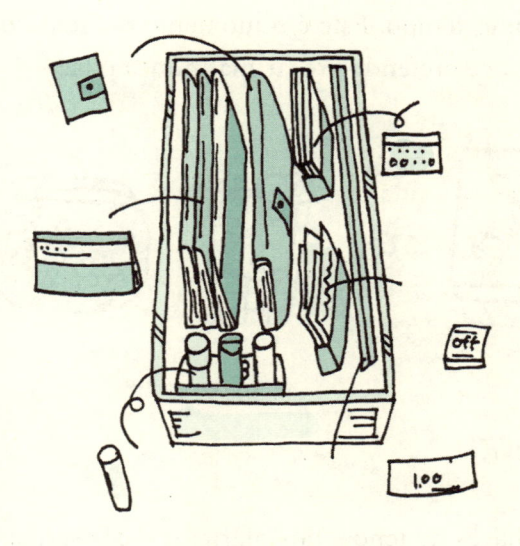

Kit de costura

Deixe-me fazer uma pergunta: Com que frequência você usa seu kit de costura? Muitas pessoas respondem que mal tocaram nele durante o ano todo, e algumas dizem que usam o mesmo kit a vida inteira. Existe alguma coisa no seu kit de costura que você sabe que não vai usar, mas que mantém nele mesmo assim? Você pode, por exemplo, ter acumulado diversos dedais ou pedaços de giz de alfaiate, ou ainda ter retalhos de feltro de algo que costurou há muito tempo. Este é o momento de lidar com aqueles botões que você pretende pregar mas nunca o faz.

Ferramentas

Além das chaves de fenda, dos martelos e das serras, essa categoria também inclui pregos, parafusos, chaves sextavadas ou os rodízios que vêm junto com os móveis novos, além de parafusos de uso indefinido. Verifique de quais deles você precisa e mantenha apenas os que forem essenciais.

As ferramentas são muito duráveis e por isso não precisam de muitas regras detalhadas para seu armazenamento. Basta reunir todas elas e guardá-las. Mantenho comigo o mínimo possível de ferramentas, que ficam guardadas numa sacola na prateleira.

Komono de lazer

Se ao se dedicar a um ou mais hobbies, como, por exemplo, jardinagem ou dança, você juntou muitos equipamentos específicos em casa, é preciso designar um único local de armazenamento para eles. No entanto, se algum desses materiais e atividades já não lhe interessam nem lhe dão alegria, esse é o momento de se livrar deles. Você ficará surpreso de como se sentirá mais leve.

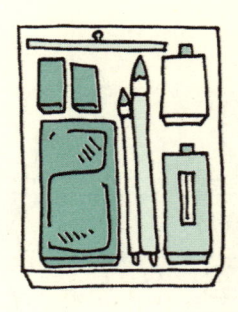

Objetos colecionáveis

Entre os itens colecionáveis há fantasias, parafernália de fã-clubes, produtos temáticos ou qualquer outra coisa que você junta sem razão específica, a não ser o fato de não conseguir resistir ao impulso. Será que você deixou alguns itens desse tipo em suas embalagens originais e os enfiou numa caixa de papelão como se eles não irradiassem alegria?

Organizar os itens que colecionamos exige tempo, então a regra mais importante é reservar tempo suficiente para fazê-lo. Prepare-se para comprometer um dia inteiro. Use o mesmo método básico. Reúna tudo num único local, depois segure cada item para verificar se ele lhe traz ou não alegria. No início, você pode pensar: "Não posso jogar isso fora de jeito nenhum." Mas, se os segurar novamente, com certeza vai descobrir outros que talvez não lhe façam falta. Depois que decidir o que vai manter, divida os itens pelas categorias que você criou e coloque-os à vista, numa vitrine que lhe traga alegria.

Coisas que você manteve "porque sim"

Essa categoria *komono* consiste de coisas que você manteve sem saber a razão, tais como as partes metálicas que vieram com seu relógio de pulso e que você nunca usou, grampos que tirou e largou por aí, botões extras, caixas de velhos telefones celulares e chaveiros. É bem provável que você descarte tudo isso. Guarde os itens que parecem ter uma natureza parecida, como os grampos, que pertencem à categoria de acessórios de cabelos, e os botões, que fazem parte dos utensílios de costura. Uma vez que tenham um lar e companhia, as coisas que anteriormente pareciam perdidas reconquistam seu brilho.

Artigos de cama e mesa

Se você mora com sua família e por acaso tem uma grande quantidade de roupa de cama e mesa em casa, trate como uma categoria *komono*. Para fazer a checagem em busca de alegria, não apenas toque a peça. Cheire-a! Lençóis, cobertores e toalhas que não são utilizados com muita frequência tendem a absorver cheiros num nível surpreendente. Jamais deixe lençóis ou fronhas em suas embalagens fechadas, pois o plástico retém umidade. Já perdi a conta do número de lençóis mofados que encontrei ao longo da carreira exatamente porque não tinham sido desembalados. Se você tem algum, recomendo que o retire da embalagem agora e comece a usá-lo para evitar tamanha tragédia.

Arrume não apenas os cobertores e travesseiros, mas também as almofadas quando estiver organizando as roupas de cama. Jogue fora qualquer uma que não lhe traga mais alegria porque está rasgada ou surrada, ou porque não é usada há um ano. Uma vez verificada sua própria roupa de cama, cheque qualquer outra que esteja guardada para possíveis hóspedes. Nos lares tradicionais japoneses, toda a roupa de cama, que inclui futons, lençóis, cobertores e colchas, é guardada no closet. Como a roupa de cama para hóspedes não é retirada do closet com frequência e o Japão é um país úmido, meus clientes quase sempre encontram as peças mofadas.

Toalhas

Um armário dentro ou perto do banheiro é o lugar mais comum para guardar as toalhas de banho, porém, se não tiver espaço, pode guardá-las num organizador plástico em seu closet ou armário. Mesmo as toalhas que você está planejando usar como panos de limpeza para depois jogar fora devem ser dobradas e guardadas na vertical, e não enfiadas numa sacola. Isso permite ver a quantidade de panos que possui, evitando um estoque grande demais.

Bichos de pelúcia

Os bichos de pelúcia ganham fácil o posto de itens de valor sentimental mais difíceis de descartar. Quando eu era adolescente e estava obcecada por arrumação, a ponto de me transformar numa máquina de jogar coisas fora, não consegui me desvencilhar de Koro-chan, um bicho de pelúcia que tinha ganhado quando criança. Sempre quisera ter um cachorro, então o tratava como um bichinho de estimação. Enchia sua tigela de ração com bolas de gude, que chamava de comida de cachorro, e me sentava em cima dele para lhe contar como tinha sido o meu dia na escola. Com o passar do tempo, deixei de lhe dar importância, e ele ficou relegado a um canto onde eu praticamente não o via nem tocava.

Há cerca de um ano, comecei e espirrar sempre que entrava em casa. No meu ramo profissional, a poeira é uma constante, mas nunca me incomoda. Nessa época, no entanto, tive alergia a pelos de animal. Toda vez que entrava em contato, meu nariz começava a coçar de imediato. Como os únicos animais que mantínhamos em casa eram peixes, fiquei pensando no que poderia estar fazendo o meu nariz escorrer.

– Talvez seja o Koro-chan – sugeriu minha mãe.

Olhei para meu cachorro de pelúcia e percebi que ele estava bastante empoeirado. O peso de seu corpo fez com que as patas da frente se abrissem e a cabeça despencasse no chão, o que o transformou num ótimo coletor de poeira. Meus pais achavam que devíamos nos livrar dele já que eu tinha muitos outros bichos de pelúcia, mas recusei a ideia. Limpei-o com o aspirador de pó e coloquei-o para tomar sol; porém nada parecia resolver o problema. Meu nariz continuava escorrendo, e, no fim, não tive opção a não ser me despedir dele. Meu pai e eu o depositamos numa sacola plástica. De pé diante dele, demos as mãos e fizemos uma reverência: "Obrigado por tudo." Depois, o levamos para a lata de lixo. Tudo aconteceu rápido, mas foi a primeira vez na vida que me senti dividida em relação a jogar algo fora.

Sempre agradeço às coisas quando as descarto; e sou duplamente respeitosa quando se trata de bichos de pelúcia, que parecem ter alma, e me comporto como se estivesse conduzindo um funeral. Os bichos de pelúcia e as bonecas são difíceis de descartar porque parecem seres vivos. Talvez seja por causa dos olhos, que aparentam nos seguir. Perdi a conta do número de vezes que ouvi minhas clientes afirmarem: "Ponho todos os bichos de pelúcia na sacola plástica, mas seus olhos me pedem socorro e, no final, acabo tirando-os dali." Isso não me surpreende. Ainda consigo me lembrar dos olhos suplicantes do Koro-chan.

A energia está nos olhos; portanto, é melhor cobri-los quando for descartar alguma coisa. Assim, bichos de pelúcia e bonecas se tornam apenas objetos e isso facilita abrir mão deles. Uma de minhas clientes tinha um gato de pelúcia que vestia uma camiseta, então a puxamos e cobrimos os olhos do bicho com ela. O resultado foi muito engraçado, permitindo que minha cliente se desfizesse dele de maneira divertida.

Se você ainda se sente incomodado, experimente o ritual de purificação japonês de jogar sal grosso para encaminhar os espíritos. E, se a dificuldade de se desapegar de alguma coisa persistir, encarar a despedida como uma espécie de funeral pode ajudar a diminuir suas dúvidas. Por coincidência, um templo no Japão que realiza funerais para bonecas cobre seus rostos com um tecido para mantê-las limpas e também prende seus cabelos, então minhas sugestões parecem seguir a etiqueta adequada.

Itens de recreação

Existem itens de recreação de todos os tamanhos: cestas de piquenique, raquetes de badminton, bolas, esquis, pranchas de snowboard e equipamentos de pesca. Guardar os itens de recreação em sacolas plásticas faz com que eles se pareçam com lixo, e isso leva você a usá-los com menos frequência do que se estivessem guardados de outra maneira. Se tiver que guardá-los numa sacola, que seja uma interessante, de que você realmente goste. E, se o simples fato de olhar para um deles faz você feliz, mantenha-o com convicção, mesmo que não o utilize sempre.

Itens sazonais

Entre os itens sazonais há coisas grandes, como árvores de Natal artificiais, e pequenas, como enfeites e decorações de festividades. Mantenha apenas os itens que você pretende usar de verdade na próxima temporada. Armazene-os de acordo com o tema e, para não se esquecer de utilizá-los na temporada certa, coloque uma etiqueta de identificação na caixa ou no organizador. Comece a expor os itens assim que a data festiva se aproximar.

Acessórios para enfrentar a chuva

Ter um guarda-chuva para cada morador da casa é suficiente. Tome cuidado com os guarda-chuvas plásticos descartáveis, que tendem a se acumular. Com o tempo, o plástico gruda e fica amarelado. Então, abra cada um para verificar se ainda está usável. Uma de minhas clientes, que morava sozinha, tinha 22 guarda-chuvas. Infelizmente, ela teve que jogar quase todos fora, pois a maioria estava danificada. Depois de organizar os guarda-chuvas, você pode lidar com outros acessórios para enfrentar a chuva.

Komono de cozinha

H, uma cliente minha, morava num apartamento de três quartos com o marido e duas filhas. "Minha cozinha é tão bagunçada que é difícil usá-la", confessou, enquanto me mostrava sua pequena cozinha. Se eu fosse descrever o ambiente numa única palavra, diria "cinza".

A louça do café da manhã ainda estava empilhada na pia. O detergente e a esponja molhada, sobre o suporte aramado preso ao lado da torneira. À direita, um escorredor de pratos grande ocupava mais da metade do espaço da bancada. Estava tão cheio que parecia que H tinha acabado de dar uma festa. "O escorredor agora virou armário", disse ela, rindo.

Meus olhos se voltaram para o fogão. H parecia haver deixado a frigideira sobre ele por não ter outro lugar para guardá-la. Observei também que um suporte metálico na lateral do fogão estava apinhado de vidros de temperos. Frascos de molho de soja e de vinho para cozinhar, entre outros ingredientes, se enfileiravam à sua frente. A proteção de alumínio, cuja função era aparar respingos de gordura atrás do fogão, estava tão gordurosa que parecia gritar: "Pare!"

"A cozinha parece muito usada. Quero jogar fora as coisas desnecessárias e arrumar tudo", afirmou H, que me contou ainda que só conseguia mesmo preparar as refeições ali. Guardar as coisas parecia uma obrigação, e o simples ato de entrar na cozinha a deixava quase desesperada.

Não acho que as cozinhas precisem estar impecavelmente arrumadas o tempo todo, nem tenho nada contra aquelas que parecem "muito usadas". **Tudo o que você precisa é de uma cozinha onde sinta prazer de cozinhar.**

Em que tipo de cozinha dá prazer cozinhar? As respostas de minhas clientes em geral são "Uma cozinha que está sempre limpa", "Aquela onde tudo o que preciso está à mão" ou "Um lugar onde posso usar meu avental e minhas panelas favoritas".

A última afirmação pode ser realizada com facilidade, pois basta sair e comprar coisas de que você gosta, então vamos ignorá-la no momento. E a primeira tem a ver com limpeza, não com arrumação. A única para a qual a arrumação pode oferecer uma solução é a segunda resposta – ter tudo ao alcance da mão. Mas isso é, na realidade, um enorme mal-entendido.

Eu era obcecada por descobrir a melhor maneira de guardar as coisas na cozinha, de modo a ter fácil acesso aos utensílios. Li todos os artigos publicados em revistas sobre projetos para cozinha, instalei ganchos na parede e pendurei as panelas e os equipamentos neles. Simulei o ato de cozinhar para medir a distância entre meu braço e o que estava à minha volta, buscando poder definir o melhor local para colocar os temperos. No fim, mantive tudo em cima do balcão em vez de guardar no armário. E, apesar da facilidade de acesso às coisas, água e gordura ainda espirravam por todo lado, deixando uma camada gordurosa na cozinha e, por tabela, eliminando qualquer alegria que eu pudesse sentir enquanto cozinhava.

O critério para o armazenamento na cozinha é a facilidade para limpar

Curiosa para saber de onde surgira a ideia de que a cozinha ideal é aquela onde tudo está ao alcance da mão, decidi perguntar às pessoas. Quase todo mundo com quem conversei pensou na cozinha de um restaurante ou de um café. Para investigar os segredos de uma cozinha desse tipo, fui autorizada a observar o funcionamento da cozinha de um restaurante no período entre o almoço e o jantar. De avental e boné, e equipada com minha máquina fotográfica e meu fiel caderno de anotações, entrei na cozinha cheia de expectativa, esperando descobrir os truques do negócio, mas acabei desapontada. Com exceção do método padrão de colocar tudo sobre o balcão de aço inox da cozinha de acordo com a categoria, como pratos, panelas, frigideiras e utensílios, não havia nenhum truque de armazenamento a ser aprendido.

Quando pensei no que vi, percebi que o tipo de comida que é servida nos restaurantes, seja ela japonesa ou italiana, define os temperos e utensílios necessários e, por causa disso, a quantidade de itens nunca aumenta. Além disso, as cozinhas profissionais são projetadas para um propósito completamente diferente das cozinhas domésticas, com muitas prateleiras abertas perto do teto e nas paredes.

Enquanto eu pensava que minha visita ao restaurante tinha sido uma perda de tempo, os chefs voltaram para preparar o jantar. Saí do meio do caminho e observei-os enquanto trabalhavam. De repente, entendi algo crucial. Os cozinheiros se movimentavam de maneira rápida e eficiente o tempo todo, mas essa destreza era mais perceptível não quando estavam cozinhando, mas sempre que paravam para limpar a pia ou a superfície da bancada. Eles passavam um pano nessas áreas toda vez que as usavam, da mesma forma que tiravam a gordura da frigideira com um pincel de cabo longo tão logo acabavam de utilizá-la. No fim do dia, limpavam não apenas o fogão e as bancadas, mas as paredes também. Quando perguntei ao principal chef qual era o segredo da organização na cozinha, ele respondeu: "Arrumar a cozinha significa eliminar qualquer vestígio de água ou gordura."

Depois disso, observei cozinhas de muitos outros restaurantes, e era sempre a mesma coisa. **O foco não era a facilidade do uso, mas a facilidade da limpeza.** Assim que compreendi isso, parei de tentar armazenar as coisas de modo a que ficassem acessíveis e passei a me concentrar em guardar tudo nos armários, até mesmo o detergente e os temperos. É verdade que, quando as cozinhas de meus clientes estão organizadas, os armários estão abarrotados e os balcões, livres da bagunça. E que, para pegar uma frigideira, é preciso tirá-la de baixo de uma pilha de outras panelas e caçarolas. Mas, quando pergunto aos clientes se isso os incomoda, eles quase sempre respondem que não. Às vezes, eles sorriem e acrescentam: "Na verdade, nem acredito que sou tão cuidadoso na limpeza do fogão toda vez que o uso. Agora não está apenas mais *fácil* limpar a cozinha – eu realmente *quero* limpá-la."

Por mais estranho que pareça, quando você está numa cozinha que é fácil de limpar e que parece estar sempre nova em folha, o esforço de retirar as coisas de dentro do armário não parece estressante. Se você quer um local onde cozinhar seja um prazer, tenha uma cozinha que seja fácil de limpar. A melhor maneira de fazer isso é não colocar nada sobre as bancadas ou perto da pia ou do fogão. Mas, obviamente, se sua bancada é grande, pode manter as coisas na área livre dos respingos de água e gordura.

Talvez você esteja pensando que só uma pessoa que mora sozinha tem chance de ser bem-sucedida em manter as coisas fora da bancada. Acontece que metade dos meus clientes são mulheres que têm filhos. Antes de começarmos a arrumação, elas estavam certas de que nunca conseguiriam manter a bancada livre. No entanto, todas tiveram sucesso. Por essa razão, eu garanto que, se você quiser, vai conseguir.

Meu marido usa a cozinha com frequência, e sempre que termina deixa tudo tão limpo que nem parece que a utilizou. E ele não emprega meu método fácil de limpeza, que é usar apenas uma panela por refeição. Seus pratos são bem complexos. Ele é capaz de preparar um prato elaborado com tofu frito e marinado no malte de arroz e saquê, acompanhado de banana frita no óleo de coco com vinagre balsâmico. Quando lhe perguntei como fazia isso, ele respondeu que existiam três segredos. Primeiro, separar todos os utensílios e ingredientes, de modo a reduzir os movimentos desnecessários durante o processo de preparação; depois, guardar tudo assim que termina de usar (a eficiência aumenta se você separar todos os itens de uma categoria de uma vez só, como na arrumação de maneira geral). Por último, limpar tudo com água quente, principalmente se utilizou gordura durante o cozimento. Se você gostou das sugestões, experimente o método e veja se funciona.

Isso pode soar inesperado, mas ensino meus clientes a guardarem o detergente e as esponjas longe da pia. Para isso, peço que criem um lugar para esses itens no armário embaixo da pia. Pode parecer mais trabalhoso, porém, se você experimentar, tenho certeza de que nunca mais vai deixar esse tipo de coisa na bancada.

Eu raramente encontro uma lata de lixo que traga alegria a alguém, portanto, vamos guardá-la embaixo da pia também. A única coisa que falta guardar é a lixeira de pia, com o lixo orgânico. Desde o primeiro dia que saí de casa, nunca deixei os restos de comida na lixeirinha. Consequentemente, minha cozinha nunca teve cheiro de lixo. Então, o que devo fazer com os restos de comida? Eu reservo um cantinho do freezer e os congelo. Vou colocando num saco todas as cascas de frutas ou de vegetais, ossos de galinha, etc., enquanto cozinho. Duas vezes por semana, em dias predeterminados, retiro o saco com os restos de comida e descarto.

Comecei a fazer isso ao lembrar que minha mãe congelava as vísceras dos peixes que limpava para evitar que a cozinha ficasse malcheirosa. Algumas pessoas têm nojo só de pensar em colocar os restos de comida no freezer junto com as outras comidas congeladas. Mas eu congelo os restos bem antes de começarem a apodrecer; isso significa que eles são basicamente comida, não lixo. Se colocar tudo numa sacola plástica biodegradável parece uma opção pouco agradável, use um saco de papel ou um recipiente plástico para separar os restos.

Arrumar primeiro a cozinha é garantia de fracasso

"Esqueça o resto. Conte-me como devo guardar as coisas na cozinha!"

Alguma vez na vida você teve vontade de fazer isso? Tenho certeza de que muitos se identificam com a frase, mas quem quer primeiro se dedicar à cozinha é quase sempre a mesma pessoa que não conseguiu sequer organizar as roupas.

Não vem a ser um problema se, durante o processo de organização das roupas, você começar a reduzir o número de itens na cozinha, ou mesmo reorganizar as gavetas da cozinha toda vez que for usá-las. Mas, numa maratona de arrumação feita da forma correta, é importante se dedicar ao processo de seleção das coisas de que se gosta antes de se concentrar no armazenamento. Existem duas razões pelas quais devemos fazer a organização numa determinada ordem. A primeira está relacionada à nossa capacidade de identificar o que nos traz alegria. Se você não cultivar essa habilidade antes de lidar com a *komono* da cozinha, o fracasso será certo. São muitas as subcategorias dentro da *komono* da cozinha, e organizá-las leva tempo. É fácil se confundir no meio do processo e, quando isso acontece, trabalhar horas sem chegar a lugar nenhum. Imagine levantar os olhos às duas da madrugada e se dar conta, com o coração sangrando, da vastidão infindável de pratos, temperos, panelas e frigideiras.

Se você não desenvolver uma sólida noção do que lhe proporciona alegria – graças à experiência de organizar primeiro as roupas e depois os livros e papéis, antes de enfrentar a *komono* da cozinha –, nunca cruzará a linha de chegada da maratona da arrumação. Você pode duvidar que uma concha ou uma colher de pau possam trazer contentamento, mas, se você arrumou suas coisas na ordem correta e começou a viver apenas com aquilo de que gosta, com certeza será capaz de identificar o fator satisfação até mesmo nos itens que parecem meramente utilitários.

A segunda razão pela qual é preciso organizar as coisas numa determinada ordem é que isso elimina a chance de haver compra desnecessária de organizadores. A cozinha, local repleto de utensílios de diversos tamanhos, exige uma quantidade maior de unidades organizadoras por metro quadrado. Ainda assim, quase nenhum cliente precisou adquirir unidades organizadoras extras porque tinha espaço vago suficiente nas gavetas após a redução de itens nas outras categorias.

As cestas de plástico transparentes usadas para guardar material de escritório e os suportes metálicos utilizados para abrigar objetos no closet se encaixam tão bem embaixo da pia que é como se eles tivessem sido feitos para isso. A satisfação resultante da percepção de que o armazenamento acabou ficando bem equilibrado só pode ser compreendida por quem passou por essa experiência. Seria uma pena perder a chance de sentir esse prazer porque você se antecipou e comprou novos organizadores. Obviamente, se você acabou de se mudar levando apenas objetos pessoais, ou se não possui organizadores ou móveis, vai precisar adquirir algumas coisas. Além disso, ao terminar o processo de arrumação e armazenamento, você pode decidir que quer comprar algo que lhe traga mais alegria.

Portanto, como você deve organizar sua cozinha? Primeiro, deixe-me esclarecer: você não vai arrumar a cozinha. Você vai arrumar a *komono* que pertence à cozinha. Arrume por categoria, não por localização. Reúna tudo da mesma categoria num único lugar e mantenha apenas os itens que lhe dão contentamento.

As três principais categorias da *komono* da cozinha são as louças e os talheres, os utensílios para cozinhar e os alimentos. Se você mora sozinho, pode esperar até terminar de selecionar as três categorias antes de guardar as coisas e, então, fazer tudo de uma só vez. Se mora com a família e tem uma grande quantidade de *komono*, ou se possui um armário adequado, tem a opção de começar selecionando quais louças e talheres quer manter e guardar no armário, e depois passar para os utensílios para cozinhar e para os alimentos, que podem ser armazenados nos espaços remanescentes.

Utensílios para cozinhar

Louças e talheres

Alimentos

Mais uma vez, é fundamental primeiro terminar o descarte. Tire todas as coisas que se encaixam dentro dessas três categorias principais dos armários e enfileire-as para poder terminar o processo de seleção de forma correta. Quando acabar de escolher o que vai manter e todos os seus espaços de armazenamento na cozinha estiverem vazios, guarde juntos todos os itens da mesma categoria.

Louças

Minha família tinha cinco pessoas, e o guarda-louça estava sempre cheio. O excedente ocupava os armários sobre a pia e na lateral da geladeira, bem como a metade do espaço do armário no corredor. Quando eu era estudante, fiquei tão obcecada em simplificar o nosso estoque de louça que levantava às quatro da manhã e ia para a cozinha antes de minha mãe acordar. Ainda de pijama, eu subia na bancada para alcançar os armários e reorganizava os pratos, empilhando-os cada vez de uma maneira diferente, mas não tinha sucesso. Cheguei a comprar alguns organizadores para colocar os pratos na vertical, mas isso também não deu certo.

Durante este processo, me ocorreu que, quando há mais de um morador na casa, as pessoas dificilmente retiram um prato por vez. É muito mais eficiente pegar logo uma pilha. Obviamente, então, o problema em nossa casa devia ser a quantidade de pratos. Voltando ao início, analisei de novo os armários e fiz algumas descobertas surpreendentes. Para começo de conversa, notei que tínhamos pratos suficientes para montar uma lanchonete, embora usássemos os mesmos todos os dias. E observei que os do nosso uso diário eram em sua maioria "brindes" de alguma revista ou coisa parecida, enquanto os pratos caros e os conjuntos de chá que havíamos ganhado de presente estavam guardados em caixas, como se fossem tesouros preciosos.

Imediatamente, comecei a tentar convencer minha mãe a arrumar esses pratos dizendo "Podemos tirar isso da caixa? Quero usar essa louça!" ou "Se não formos usá-la, podemos nos desfazer dela?". Mas ela sempre me ignorava, respondendo "Guardei essa louça para uma ocasião especial" ou "Estou guardando essa para os convidados", apesar de não recebermos ninguém em casa havia mais de um ano.

No final, desisti sem ter resolvido o problema de nosso armário, mas aquilo continuou a me intrigar por anos. Quando comecei meu atual trabalho, no entanto, fiquei surpresa ao perceber que o mesmo fenômeno ocorria em muitas casas.

No caso dos meus clientes, o engajamento sem entusiasmo compromete o resultado. Como a primeira etapa da arrumação é se livrar dos objetos que não proporcionam alegria, faço com que eles descartem quaisquer pratos colecionados aleatoriamente e tirem das caixas aqueles guardados para as ocasiões especiais. Embora alguns fiquem hesitantes no início, com medo de quebrá-los, logo descobrem como é boa a sensação de usar, no dia a dia, a louça que adoram. Experimente. Você vai perceber que as coisas não quebram com tanta frequência. Além do mais, a pessoa que lhe deu o presente ficará muito mais feliz se você usá-lo em vez de guardá-lo numa caixa.

Se você ainda reluta em colocar em uso seus aparelhos de jantar mais bonitos, tente pelo menos dar o primeiro passo e retire-os da caixa. Mesmo que os guarde num lugar de difícil acesso para serem utilizados apenas em ocasiões especiais, será melhor do que deixá-los trancados em caixas, de onde provavelmente jamais sairão. Também posso garantir a você, por experiência própria, que existe uma grande possibilidade de algumas dessas louças encaixotadas não lhe trazerem alegria. Ao examiná-las, então, pode ser que você decida doá-las para alguém. Além disso, essas caixas costumam ser muito grandes e ocupar muito espaço. É bastante comum os clientes se surpreenderem ao perceber, depois de desempacotar a louça e arrumá-la nas prateleiras, como o armário fica arrumado e amplo.

E, então, essas caixas vazias podem virar ótimas unidades organizadoras. Por exemplo, aquelas feitas para conjuntos de copos são muito resistentes e interessantes, e funcionam perfeitamente para guardar diversos tipos de objetos na vertical, tais como frascos de temperos e macarrão.

O verdadeiro desperdício é insistir que seria um desperdício usar os lindos conjuntos recebidos de presente. Portanto, decida de uma vez por todas: use sua louça com orgulho ou livre-se dela.

Dê uma boa olhada no conteúdo de cada caixa e veja se lhe traz contentamento. Pode dar muito trabalho, se a quantidade for grande, mas encare como uma ótima chance de limpar o armário. O método básico de armazenamento é dividir o armário em uma área para copos e outra para pratos e depois empilhar as travessas de formato parecido.

Depois de escolhidos os pratos que alegram seu coração, está na hora de guardá-los. Isso pode ser feito de duas formas: empilhados ou instalando mais prateleiras para apoiá-los. No armário tipo bufê, colocar um em cima do outro deve ser suficiente. Se a prateleira for mais alta e sobrar espaço, você pode instalar uma prateleira extra ou usar organizadores que aproveitem melhor o espaço. Um suporte simples com pernas ou um suporte tipo prateleira com um ou dois níveis atende o básico. Antes de ir correndo comprar qualquer coisa, recomendo empilhar os pratos primeiro e depois decidir se realmente precisa de algo a mais.

Para concluir, use diariamente os pratos que você adora. Desempacote-os e guarde-os no armário da cozinha. Isso com certeza vai deixar você mais próximo de ter uma mesa de jantar feliz.

Talheres

As pessoas sempre me perguntam como devem guardar seus pratos, mas raramente me consultam sobre como guardar seus talheres. Aparentemente, elas não sabem que o talher é o rei da *komono* da cozinha. Você precisa separar o melhor espaço para os talheres. Além dos alimentos e da escova de dentes, os talheres são a única outra coisa que você coloca na boca. Ao tratar com respeito qualquer coisa que toque sua boca, você tem a chance de multiplicar o fator alegria em seu cotidiano.

Existem duas maneiras de guardar os talheres: colocando-os em pé dentro de tubos ou deixando-os na horizontal dentro de uma caixa. Se você não tem gavetas na cozinha e a manutenção do espaço é sua prioridade, uma boa solução é guardar os talheres na vertical. O método mais comum é colocá-los num copo, dentro do armário.

O melhor método de armazenamento é colocar facas, garfos e colheres em seus próprios compartimentos dentro do organizador de talheres ou simplesmente numa caixa de tamanho apropriado. Se você vai usar um organizador, seus talheres ficarão felizes se ele for feito de ratã, de bambu ou de outro material natural que tenha textura suave, em vez de um modelo de plástico no qual eles ficam chacoalhando de um lado para outro.

A propósito, meu critério para decidir que itens exigem um tratamento de realeza (exceto para coisas como carteiras) é o seguinte: a proximidade do item com nosso corpo. Itens como garfos ou roupas íntimas, que entram em contato direto com partes delicadas de nosso corpo, sempre que possível devem ser tratados um pouco melhor do que o restante.

Ao começar a armazenar e tratar os talheres como se fossem membros da realeza, algumas de minhas clientes resolvem utilizar descansos para eles. E logo decidem comprar, também, jogos americanos e porta-copos mais bonitos. Trazer alegria à mesa de refeições me enche de expectativa.

A *komono* que traz charme à sua mesa

Eu estava trabalhando com uma de minhas clientes e uma argola de madeira, dessas de prender o guardanapo, rolou para fora da caixa de acessórios dela. Quando falei para que servia, ela caiu na gargalhada e disse: "Isso sempre me intrigou, pois era grande demais para ser um anel e pequeno demais para ser um brinco." Pobre argola!

Jogos americanos, descansos para serviço de chá, descansos para copos e suportes para hashi podem não ser essenciais, mas enriquecem muito a hora da refeição. Se você tem alguns desses itens, não os desperdice. Use-os todos os dias.

O local padrão de armazenamento para essa categoria de *komono* é perto da louça ou dos talheres, mas qualquer lugar próximo à cozinha ou à sala de refeições serve. Se você tiver anéis para guardanapo e descansos para hashi com designs bonitos, guarde-os de maneira atraente. Por que não os enfileirar na gaveta como numa vitrine de loja, de modo que toda vez que você a abrir tenha uma surpresa agradável?

Existem dois tipos de apetrechos de cozinha feitos de tecido: toalhas e jogos americanos. Para as toalhas, o método básico é dobrar e guardar na vertical. Para os jogos americanos, vale dobrar, enrolar ou empilhar, dependendo do material. Quem possui pouco espaço de armazenamento na cozinha pode guardar esses itens no armário próximo de onde são mantidos os outros itens de tecido.

Utensílios para cozinhar

Utensílios para cozinhar, como conchas e espátulas, são resistentes. Por isso, depois da checagem de alegria feita no início do trabalho, você não precisa ser tão cuidadoso na hora de guardá-los.

Existem dois jeitos de guardar esse tipo de utensílio: na vertical ou na horizontal. Pendurá-los em ganchos na parede também é uma opção. Mas evite pendurar tesouras ou outros instrumentos com lâminas muito perto da área onde você cozinha, pois a possibilidade de se cortar o deixará nervoso, mesmo que você não tenha consciência disso. Procuro sempre deixá-los onde não recebam os respingos de gordura.

Quando faço o armazenamento na vertical, meu sistema padrão é pôr as coisas numa jarra ou em qualquer outro recipiente alto, para não virar, e então guardar esse recipiente no armário. O método mais comum, no entanto, é guardar as peças diretamente nas gavetas ou na tampa de uma caixa colocada dentro da gaveta. Ao contrário dos talheres, não há necessidade de dividir esse tipo de utensílio por categoria. Abridores de lata, colheres de medição e outros itens pequenos podem ser armazenados em recipientes com divisórias para ficarem separados dos artigos maiores. Se você tem utensílios sobressalentes novos que ainda estão na caixa, coloque-os em uso e livre-se dos velhos.

Panelas

Tire todas as panelas do armário e espalhe-as pelo chão ou sobre a bancada. Vale tudo, desde panelas de metal ou de cerâmica a frigideiras, bacias e peneiras. Siga a etapa básica de segurar cada item e verificar se ele lhe traz alegria.

Para guardar, coloque os itens com formatos semelhantes um dentro do outro. Ou seja, panela com panela e tigela com tigela, de modo a aproveitar ao máximo a altura do armário. Se o armário tiver um suporte embutido para pendurar frigideiras, use-o.

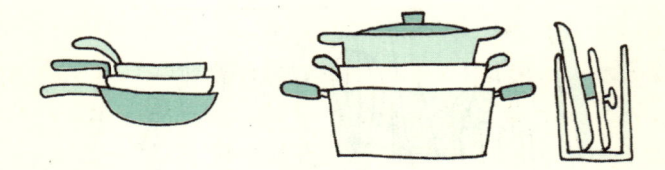

Equipamentos de cozinha

Reúna todos os equipamentos de cozinha, como sanduicheiras, máquinas de waffle e liquidificadores, num único lugar. Não se esqueça de incluir também os aparelhos que estão guardados fora da cozinha. Você comprou algum aparelho que estava na moda e que agora perdeu a graça, ou tem algum guardado há anos e jamais o utilizou? Meus clientes me fizeram conhecer uma inacreditável quantidade e variedade de equipamentos e apetrechos de cozinha. São panelas para fazer ovo poché, máquinas de fazer batata chips, espremedores de frutas, descascadores de maçã, máquinas de fazer gelo, quebra-nozes, etc.

Em casa tenho um mixer para fazer minha vitamina verde todas as manhãs, mas sempre o guardo após usá-lo. Estes aparelhos, mesmo que usados diariamente, devem ser guardados numa prateleira ou no armário, e não deixados sobre a bancada da pia. Pode parecer incômodo, mas, a partir do momento que você decide onde as coisas devem ficar, elas deixam de ser um problema. Por favor, experimente. Meu método padrão é armazenar os itens menos necessários no fundo do armário ou na prateleira mais alta e as peças essenciais ao alcance da mão.

Recipientes para guardar alimentos

Existem recipientes para guardar alimentos de todos os materiais e formatos. Há os modelos de plástico, de vidro e de metal, bem como os vidros de geleia e as latas de chá vazias. Apesar de ser importante fazer a checagem básica da alegria, você deve também verificar quantos recipientes tem em sua cozinha. Conte todos os que possui, inclusive aqueles que estão em uso na geladeira, e pense de maneira racional sobre o número de vasilhames que você de fato precisa ter. Se tiver mais do que necessita, descarte os mais antigos. No entanto, fique atento e guarde alguns modelos quadrados para usar mais tarde como divisórias nas gavetas da cozinha.

E é possível otimizar bastante o seu espaço de armazenamento se empilhar os itens que são empilháveis e guardar as tampas num outro recipiente. Uma alternativa para quem tem espaço sobrando, e quer evitar a poeira dentro dos recipientes, é guardá-los na prateleira devidamente tampados.

Apetrechos para confeitaria

Quando eu estava no ensino fundamental e ainda não tinha desenvolvido minha paixão por arrumação, adorava fazer bolos e muitas vezes passava o tempo livre fazendo doces. Até hoje sinto um arrepio de felicidade quando vejo, nas lojas, fôrmas de bolo e cortadores de biscoitos no formato de coração ou de animais e tenho vontade de comprá-los, apesar de não fazer mais doces. Mas, quando vejo esses utensílios nas casas de meus clientes, em geral é seu pedido desesperado de ajuda que mexe com o meu coração, não sua alegria. Se você tem alguma fôrma de bolo ou um cortador de biscoitos que praticamente não usou e agora está enferrujando dentro do armário, jogue isso fora.

Não sei a razão, mas o método mais comum de armazenamento para os apetrechos de confeitaria parece ser enfiar tudo dentro de um saco plástico, fechar e colocar numa prateleira. Isso é inaceitável. Uma vez no saco, eles parecem desaparecer; talvez porque tenhamos a tendência de desviar o olhar quando ele pousa sobre um embrulho tão disforme. Qualquer que seja o motivo, a frequência com que as pessoas fazem doces diminui quando os utensílios de confeitaria ficam guardados dessa maneira.

Ao contrário do cozinhar do dia a dia, fazer doces é algo a que nos dedicamos só quando sentimos vontade. Assim, os apetrechos de confeitaria não são exatamente utensílios de cozinha, e sim equipamentos de hobby. Eles devem irradiar alegria e, por isso, não devem ser guardados num saco plástico. Se você não utiliza esses itens com regularidade e quer protegê-los da poeira, escolha uma bolsa de tecido macio ou de plástico mais maleável, mas nunca uma sacola de compras barulhenta com o nome do supermercado gravado nela.

Se você tem espaço e não precisa guardar tudo numa sacola, empilhe as fôrmas de bolo e outros itens maiores, do mesmo modo que faz com os pratos, e coloque tudo diretamente na prateleira. Como opção, guarde todos esses apetrechos numa caixa específica para eles, e deposite-a numa prateleira onde possa ser vista. Essa é sua chance de usar aquela caixa linda que decidiu manter.

Descartáveis

A categoria com menos utilidade costuma ser a *komono* de descartáveis para a cozinha, como hashis, canudos, guardanapos, pratos e copos de papel. Esses itens são, em geral, usados em conjunto, então é uma boa ideia armazená-los numa única caixa, com todos os itens na vertical. Uma cliente me disse:

– Não posso perder tempo lavando pratos, então uso sempre pratos e copos de plástico.

– E isso realmente a deixa feliz? – perguntei de modo sutil.

Se você ficar tentada a utilizar pratos de plástico pela mesma razão, recomendo que os guarde no fundo da prateleira mais alta, para dificultar o acesso a eles. Ou aproveite e descarte-os neste momento! Seja qual for a sua decisão, por favor, lembre-se de que o propósito de arrumar a casa é tornar gratificante cada dia de sua vida.

Como muitos itens dessa categoria são "gratuitos" – canudos que vêm com o refrigerante ou colheres de plástico que vêm junto com o sorvete –, acabamos acumulando muita coisa sem perceber. É preciso decidir de quantos realmente necessitamos e jogar fora o restante. E, se o atendente da loja lhe oferecer um guardanapo e você não precisar dele, recuse.

Sacolas de plástico

Todos nós temos o hábito de acumular sacolas de plástico de supermercado. Já tentei guardá-las de diversas maneiras. Na casa de meus pais, costumávamos colocá-las dentro de outra sacola plástica, presa ao puxador de um armário por um pregador de roupa. Sem dúvida, um modo pouco atraente e certamente nada inspirador de alegria. O pior é que a cozinha era pequena e toda vez que alguém esbarrava na sacola ouvia-se um barulho irritante. A maior parte dos meus clientes utiliza o mesmo método.

Existem alguns organizadores projetados especificamente para armazenar essas sacolas, em geral um tubo feito de tecido com uma abertura larga numa das pontas, para inserir as sacolas, e uma abertura bem menor na outra, para puxar as sacolas como se fossem lenços de papel saindo da caixa. Não há nada de errado nisso, mas, em minha opinião, esse "puxa-saco" parece ocupar mais espaço do que o necessário, e, às vezes, quando você puxa uma sacola, outra vem junto e cai no chão como uma lagarta solitária. Além do mais, é absurdo comprar algo específico para armazenar sacolas descartáveis.

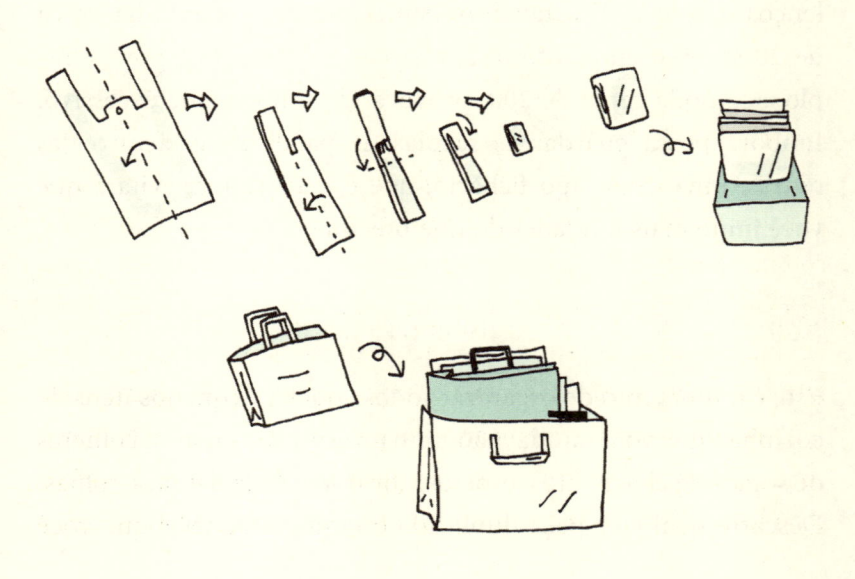

Uma de minhas clientes guardava sacolas plásticas dentro de outra sacola plástica. Apesar de insistir que sua família de cinco pessoas precisava de muitas delas para acondicionar o lixo, ficou claro que ela tinha muito mais do que o necessário. Ela contou que as colecionava havia mais de 30 anos. Quando examinei a sacola externamente, percebi que o fundo estava amarelado. Temendo pelo que poderia encontrar, enfiei a mão e puxei aquela que estava mais no fundo. Junto com ela, saiu uma nuvem de poeira amarela. O cheiro não era bom. Nunca vou saber se era poeira ou plástico desintegrado, mas os flocos amarelos com cheiro azedo se espalharam pelo chão. Contamos um total de 241 sacolas. Mesmo que ela usasse quatro sacolas por dia, levaria mais de dois meses para usar todas elas.

Os problemas mais comuns com o armazenamento de sacolas plásticas são o volume acumulado e o espaço desperdiçado. Se você não sabe o número de sacolas de que precisa, tente calcular a quantidade de que necessitou nos últimos três meses. Os itens que tendem a se acumular sem que a gente perceba são exatamente aqueles que devemos contar.

Ao guardar as sacolas, foque em reduzir o volume. Coloque-as dentro de algo rígido, que impeça que se expandam. Se você não se incomodar com a trabalheira, elas podem ser esticadas, dobradas e armazenadas na vertical, assim como as roupas. O recipiente deve ser pequeno, talvez a metade de uma caixa de lenços de papel. É o tamanho suficiente para acomodar cerca de 20 sacolas, enquanto que uma caixa de sapatos, por exemplo, acomoda cerca de 200, provocando um estoque excessivo. Embora possa guardar as sacolas de papel umas dentro das outras, uma caixa tipo fichário, que é mais rígida, evitará que você junte mais unidades do que precisa.

Komono dos pequenos itens de cozinha

Este é o momento de organizar todos aqueles pequenos itens de cozinha que você ainda não tinha verificado, como colheres de sopa e de chá, palitos, espetos, abridores de lata e saca-rolhas. Descarte qualquer peça duplicada e também aquelas que você pouco usa porque possui um utensílio multiuso que resolve a questão. Mas sinta-se livre para manter os objetos que, apesar desses critérios, lhe trazem alegria, como pode ser o caso de um abridor de garrafas com um design lindo.

O segredo para armazenar esses itens é dividi-los criteriosamente e colocá-los numa gaveta. Procure por caixas vazias ou recipientes que tenham o tamanho perfeito para serem usados como divisórias.

Itens de consumo empregados na cozinha

Itens de consumo empregados na cozinha, como filme plástico, papel-alumínio, papel-manteiga e papel toalha, podem ser armazenados num armário ou numa despensa, debaixo da pia ou em suportes fixados na porta do armário ou na parede. Se você tem caixas fechadas de produtos, como sacos plásticos do tipo Ziplock, transfira tudo para um recipiente de modo a ganhar espaço. Para aumentar o quesito alegria, é melhor armazenar itens desse tipo longe da vista. Se o estoque for muito grande e não couber na cozinha, crie uma categoria "estoque excedente" e guarde os itens em outro lugar, como um armário ou depósito.

Se itens como protetores de prateleiras, filtros de depuradores de ar e painéis antirrespingo, que livram as paredes da gordura, não proporcionam alegria, descarte-os. Este é ainda um bom momento para reconsiderar os apetrechos que parecem úteis, mas que na realidade não são.

Produtos de limpeza da cozinha

Equipamentos de limpeza da cozinha, como detergentes, esponjas e produtos líquidos, são geralmente armazenados juntos numa cesta que pode ser colocada embaixo da pia ou presa na parte interna da porta do armário. Na verdade, nada deveria ficar perto da pia, nem mesmo o detergente ou a esponja.

Quando digo isso aos clientes, eles ficam surpresos. "Você está dizendo para colocar a esponja lá longe, no armário, mesmo estando molhada?", perguntam. A resposta é não. Por favor, seque-a antes de guardá-la. O segredo é espremer a esponja. Se você fizer isso bem, se surpreenderá com a rapidez da secagem. Coloque a esponja em pé em algum lugar onde não seja atingida pela água ou pendure-a e depois guarde assim que secar. A questão é evitar manter a esponja perto da pia. Se você usa tanto a sua que não dá tempo de secá-la totalmente, não se incomode em guardá-la no armário, mas retorne o detergente para o armário toda vez que o utilizar. É importante evitar manter sobre a pia ou a bancada qualquer coisa que possa deixar marcas de água.

Não há necessidade de buscar a simplicidade na cozinha

Por favor, não pense que você precisa reduzir muito mais para alcançar a felicidade. **Pode parecer contraditório, mas não há necessidade de buscar a simplicidade na cozinha.**

Andar pela seção de utensílios de cozinha numa loja me dá uma sensação indescritível de prazer. Embora cozinhar não seja o meu forte, posso passar horas olhando as prateleiras de produtos relativos a essa prática. A variedade no design é enorme, mesmo para panelas e frigideiras do dia a dia, e a quantidade de objetos curiosos, como fatiadores de abacate, é fascinante.

Várias vezes ouvi clientes elogiarem com entusiasmo os benefícios de um novo utensílio. Mas, passado algum tempo, aquele item desaparecia de suas casas. Quando eu perguntava onde estava, eles geralmente alegavam que era difícil de usar, que tinha quebrado ou que se cansaram daquele apetrecho. Os utensílios de cozinha são como os brinquedos. Eles são divertidos de experimentar quando atraem seu interesse, mas inevitavelmente chega o dia em que não lhe trazem mais alegria. Se algum objeto já cumpriu sua função em sua vida, está na hora de agradecer e se despedir dele.

A cozinha é o único lugar da casa onde, mesmo quando fazemos uma limpeza e descartamos aquilo que não serve mais, ainda sobra bastante coisa. Isso muitas vezes surpreende os meus clientes. "Estou quase terminando de organizar a cozinha, mas tenho a sensação de que ainda tem muita coisa aqui", comentam. Talvez estejam imaginando uma cozinha como aquelas que a gente vê nas lojas ou nas revistas, nas quais todos os equipamentos são arrumados dentro de armários espaçosos. Quando você pensa na quantidade de objetos de uma cozinha e no espaço disponível, percebe que alcançar esse resultado não é uma tarefa fácil.

A questão que quero levantar é que, quando se trata dessa parte da casa, não há necessidade de buscar a simplicidade total. **O que importa é a capacidade de ver onde tudo está guardado.** Se você conseguir isso, então, mesmo que o espaço de armazenamento pareça cheio demais, ainda pode se orgulhar de sua cozinha. O que desejo é que você tenha como meta um ambiente que torne o ato de cozinhar uma alegria e que expresse o seu jeito de ser feliz.

Alimentos

Quando estiver arrumando os produtos alimentícios na cozinha, recomendo deixar tudo na geladeira até terminar. A primeira coisa que deve ser checada é a data de validade. Os alimentos desidratados, em especial, podem ter uma vida de prateleira (tempo de vida útil) surpreendentemente curta, detalhe que muitos clientes ficam chocados ao saber. A regra básica é descartar qualquer coisa que esteja com a data de validade vencida, mas, se você tiver suas próprias regras, tipo "dois meses é um prazo bom para enlatados", vá em frente e use isso como critério. Quando estiver em dúvida, pergunte a si mesmo se o alimento traria alguma alegria se preparasse algum prato com ele.

Você tem em casa algum suplemento alimentar que comprou por impulso e não tomou até o fim, ou algum alimento saudável que adquiriu por puro hábito? Esta é uma oportunidade de refletir se o seu corpo realmente precisa deles e se estão dando resultado. Se você comprou ou recebeu muita quantidade de determinado item que não tem condições de consumir, pergunte aos amigos se eles querem um pouco ou doe o excedente para um abrigo ou uma instituição.

LIMPANDO A DESPENSA

Se você descobrir um grande estoque de coisas cuja validade esteja quase expirando, use-as rápido. Faça uma "campanha de uso de produtos próximos do vencimento". Pode ser divertido experimentar novas receitas.

Uma cliente descobriu um lote grande de comida vencida e me chocou ao afirmar: "Perfeito! Meu namorado está vindo amanhã. Vou dar para ele comer!" Obviamente, ela não estava sendo má. Estava apenas convicta de que a comida vencida muitas vezes pode ser consumida. Quando perguntei, mais tarde, se o namorado tinha gostado, ela respondeu que tudo tinha dado certo. Recomendo, no entanto, que você use o bom senso e o olfato, e esteja preparada para assumir as consequências.

BEBIDAS

As bebidas podem ser divididas em dois tipos: as que estão prontas (engarrafadas ou em lata, sucos em caixas, etc.) e as desidratadas ou em pó (chá, bebidas em pó, etc.). De cara, verifique a data de validade. A primeira categoria tem um tempo de prateleira curto porque contém líquido. Descarte qualquer produto vencido. Algumas bebidas que se encaixam na segunda categoria, como é o caso do chá verde e do chá inglês, podem ser usadas mesmo depois de vencidas. No caso dos chás, coloque as folhas para queimar com um incenso ou com lascas de madeira que defumam o bacon. Busque maneiras de dar um destino a esses itens em vez de descartá-los.

ARMAZENANDO ALIMENTOS

Armazene os alimentos por categoria e guarde tudo o que puder na vertical. Quando você abre a gaveta ou observa as prateleiras da despensa, deve ser capaz de dizer num passar de olhos onde está cada coisa. As categorias básicas são temperos, alimentos desidratados, carboidratos secos (arroz, macarrão, etc.), enlatados, alimentos prontos empacotados a vácuo, doces, pães e suplementos. Se a estética é importante para você, é possível aumentar muito o fator alegria transferindo produtos secos e outros alimentos para potes.

Sugiro armazenar as coisas juntas. Por exemplo, se você não usa pacotes pequenos de temperos com tanta frequência, experimente guardá-los em vidros, um para cada tempero. Ideias simples como essa tornam o armazenamento de alimentos mais eficiente.

PERECÍVEIS

Olhe os alimentos dentro de sua geladeira e livre-se dos itens com a data de validade vencida. A geladeira, aliás, é a única exceção à regra de retirar todos os itens para fazer a verificação. Se há ali algum molho, pacote de tempero ou outras coisas que você nunca usa, jogue tudo fora. Deixe somente o que você de fato utiliza e guarde numa pequena caixa ou num recipiente para deixar a geladeira mais organizada.

Procure manter, dentro dela, cerca de 30% do espaço vazio. Esse espaço será útil para as sobras de alguma refeição ou para qualquer comida que você possa ter pedido naquele dia. Guarde as coisas por categoria, de modo que dê para ver, num simples passar de olhos, onde está cada alimento.

Truques para o armazenamento na cozinha

Quando planejar o armazenamento na cozinha, pense nela como um todo. Em geral, há gavetas, além de armários acima e abaixo da bancada da pia, e um outro para guardar pratos. Enquanto o armário para pratos é projetado com prateleiras e gavetas específicas para guardá-los, as áreas embaixo da pia são muitas vezes grandes espaços vazios. Como mencionado antes, devemos começar a armazenar nos espaços embutidos primeiro.

Desde que você divida o armazenamento por categoria, pode guardar as coisas onde quiser. Quando visito casas para dar aula, costumo vistoriar os armários e os espaços de armazenamento assim que eles são esvaziados. O armário sob a pia parece ter certa umidade, enquanto aqueles que ficam perto do fogão têm uma aparência ressecada e um cheiro entranhado de gordura. Por esta razão, acredito que é melhor evitar guardar itens vulneráveis à umidade debaixo da pia. Fiquei feliz em saber que o feng shui confirma minha intuição. Segundo esta filosofia, o elemento para o espaço embaixo da pia é a água, enquanto o fogo é o elemento relativo ao espaço ao lado do fogão.

O segredo para arrumar as coisas nos armários é utilizar a altura desses espaços. Em algumas construções novas, os armários vêm com aramados, mas, se os seus não têm, use-os para guardar as coisas que foram liberadas durante o processo de arrumação. Se você gosta de organizadores, compre alguns novos. Se a quantidade de objetos para guardar é grande, fica menos confuso se você dividir suas coisas entre "uso frequente" e "uso pouco frequente". Os itens pouco usados devem ser colocados nas prateleiras mais altas do armário acima da bancada.

Fique à vontade para criar suas próprias categorias, como "equipamentos para fazer pão" ou "acessórios para decorar bolos". Quando for decidir onde armazenar as coisas, comece pelos itens maiores. Se você tem um guarda-louça, coloque primeiro os pratos, depois os utensílios para cozinhar, os temperos, e assim por diante.

Para ter certeza de que vai conseguir liberar espaço nas gavetas da cozinha, fique o tempo todo imaginando maneiras de reduzir a quantidade de objetos. Veja os elásticos, por exemplo. Muitas pessoas deixam os elásticos na caixa e a colocam numa gaveta, mas isso é um desperdício de espaço. Conforme eles vão sendo usados, a caixa vai ficando cada vez mais vazia, embora ainda ocupe a mesma área. Você pode ganhar espaço, e tornar o interior da gaveta mais agradável, se transferir os elásticos para um recipiente menor. Com mais superfície disponível, você pode tirar as coisas de cima da bancada e de outros lugares e abrigar dentro de armários e gavetas. Por fim, a chaleira, a panela elétrica de fazer arroz e a lixeira acabam dentro dos armários, de modo que a cozinha fica completamente livre de bagunça! Pode parecer uma tarefa impossível, mas não é. E eu recomendo que você transforme isso no seu objetivo à medida que for guardando as coisas.

Organizar é um evento especial. Se você se esforçar ao máximo no armazenamento, experimentando ideias diferentes e desfrutando do processo inteiro, descobrirá que é muito tranquilo. Trate tudo como se fosse um jogo. Cada ideia que colocar em prática trará resultados imediatos, e você poderá reajustar o que quiser a qualquer momento. O armazenamento é realmente a parte mais divertida na aventura da arrumação.

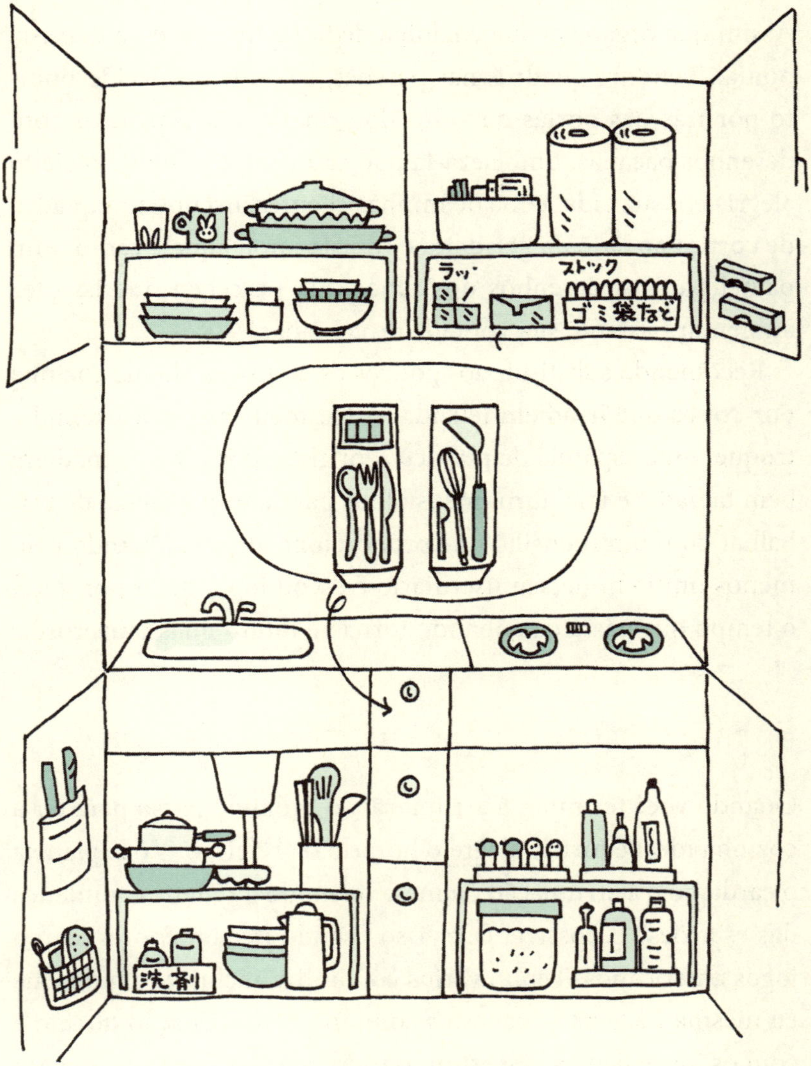
ラップ
ストック
ゴミ袋など
洗剤

Decorando a cozinha

Assim que organizar sua cozinha, dedique um tempo a deixá-la bonita. Pendure quadros nas paredes, coloque um tecido bonito por trás das portas de vidro do armário e use azulejos com desenhos bacanas. Embelezá-la pode aumentar bastante o efeito alegria em sua vida. Uma de minhas clientes instalou um quadro de cortiça ao lado da geladeira e transformou aquele canto num painel para os desenhos dos filhos. Ela percebeu que isso fez aumentar bastante sua vontade de cozinhar.

Recomendo substituir aos poucos os utensílios de sua cozinha por coisas que irradiem felicidade. No meu caso, por exemplo, troquei uma espátula de plástico sem graça por uma de madeira bem talhada, e isso abriu meus olhos para a importância de trabalhar com um utensílio que proporciona alegria. Quando pelo menos um item de seu uso diário é escolhido a dedo por você, o tempo que passa cozinhando torna-se muito mais prazeroso.

Fazendo com que a hora da refeição traga alegria

Quando você terminar a arrumação, o próximo passo para ter a cozinha ideal é tornar alegre o horário da refeição. Você planeja o cardápio e a arrumação da mesa de modo a refletir a mudança das estações? É possível fazer isso usando itens menores, como jogos americanos. Tenho vários conjuntos, inclusive alguns que eu mesma fiz, e não apenas os combino com a estação do ano e com os ingredientes que estou usando, mas também os uso para deixar a mesa de jantar mais estilosa, dando-lhe mais cor. Você também pode experimentar decorar a mesa com velas.

Recentemente, a *daikon art*, na qual o nabo ralado é moldado nos mais variados formatos de animais, se tornou uma novidade popular no Japão. Parece que muitas pessoas são bastante criativas ao acrescentar um espírito brincalhão às suas refeições. Por favor, experimente e descubra o que inspira alegria na hora da sua refeição.

Material de limpeza

Qualquer material de limpeza que você não usa pode ser doado para algum lugar onde ele seja necessário. Para selecionar aqueles que lhe dão alegria, imagine como seriam utilizados numa faxina. Guarde juntos, num depósito ou armário, aqueles que você decidir manter. Toalhas ou panos velhos que você planeja usar nesse serviço devem ser guardados dobrados e em pé.

Nem todos os produtos que você tem são necessários para a limpeza da sua casa. O material de limpeza só tem valor se for usado. Se há algum produto no armário que ainda nem foi aberto, abra-o e utilize-o até o fim, mantendo minuciosamente limpos todos os espaços de armazenamento de sua casa.

Produtos para lavar roupa

Os itens relacionados à lavanderia devem ser guardados perto da máquina de lavar roupa. Eu gosto de retirar os rótulos chamativos da embalagem do sabão líquido e amarro uma fita no gargalo para aumentar o fator alegria.

Komono de banheiro

Embora seja difícil admitir, nunca consegui arrumar o espaço embaixo da pia da casa de meus pais na época em que morava com eles. Havia sempre coisas demais – escovas de dentes extras, amostras grátis de maquiagem e de sabonetes –, e eu não me sentia no direito de jogar tudo aquilo fora. O pior é que a área ao redor da pia estava sempre úmida. Tentei convencer as pessoas a limparem a pia depois do uso, mas isso só serviu para deixar todo mundo mal-humorado, então parei de insistir. Minha reação foi fazer a limpeza em silêncio.

Impedida de arrumar a casa depois de ter jogado fora secretamente os pertences de meus familiares, aprendi do modo mais difícil que não vale a pena mexer nas coisas dos outros. A única saída, decidi, era tornar o espaço o mais agradável possível, pelo menos quando eu o estivesse usando. Eu limpava a pia, passava pano na bancada e, uma vez por mês, retirava a poeira e a sujeira das prateleiras de vidro acima dela. Eu me dedicava a manter tudo seco e limpo, mas, se por algum motivo ficasse algum tempo sem fazer esses serviços, a área logo ficava cheia de limo, o que era bastante desanimador.

Às vezes, não damos tanta atenção à arrumação do banheiro, mas a verdade é que ele pode ser um dos lugares mais difíceis para se manter em ordem. Ele retém umidade, abriga uma enorme quantidade de provisões extras e com frequência tem múltiplos usuários.

Ao pensar no armazenamento dentro de um cômodo, sempre penso no propósito daquele ambiente. O banheiro é usado, entre outras coisas, para lavar o rosto, escovar os dentes e tomar banho. No Japão, é comum que também seja o local onde fica a máquina de lavar roupa. Eu penso nele como um lugar para se lidar com a água e para se guardar produtos relacionados à pele, cujas principais categorias enumero a seguir:

> Produtos de limpeza para o rosto e o corpo (cosméticos para a pele e para o cabelo, escovas de dentes, secadores de cabelo, faixas de cabelo, grampos, cotonetes, lâminas de barbear e também um estoque extra das mesmas coisas, além de toalhas)

> Produtos para o banho (xampu, sais de banho, etc.)

> Produtos de limpeza (tira-limo, esponjas, etc.)

A campanha de arrumação é sua chance de rever, item por item, seus estoques de lenços de papel, xampu, etc. Quaisquer itens que estejam velhos a ponto de tornar suspeita sua qualidade, ou que você simplesmente não use mais, devem ser descartados na hora.

Embora o ideal fosse utilizá-los, se você tem produtos em excesso, pode doá-los. O importante é gerenciar o estoque para saber a quantidade. Faça uma estimativa de quantos dias seriam necessários para usar um item e calcule quantos dias de produto você tem em mãos. Se tiver suprimento para um, cinco ou seis anos, pode transformar isso em tema de piada. Tire fotos para mostrar aos amigos, transforme isso numa história heroica de sua maratona de organização e divirta-se enquanto segue em frente com o descarte e a arrumação.

Se há gavetas sob a pia do seu banheiro, aplique dois princípios básicos: armazene por categoria e guarde na vertical. O armário embaixo da pia, no entanto, exige uma atenção especial. Quando as pessoas me dizem que estão tendo problemas com o armazenamento neste cômodo, é porque não estão utilizando o espaço sob a pia com eficiência. Ali muitas vezes encontro, na base do armário, produtos de limpeza misturados com xampus e um espaço enorme e inutilizado acima deles.

Para aproveitar melhor o espaço embaixo da pia que não tem prateleira, utilize a altura. Neste caso, os organizadores vêm bem a calhar. Muitas vezes coloco um pequeno gaveteiro de plástico que sobrou da arrumação da *komono*. Se o gaveteiro tiver boa profundidade e ainda sobrar espaço acima dele, ponha uma caixa sem tampa sobre ele, de modo a armazenar itens mais altos, como o secador de cabelo.

Se o gaveteiro tem a profundidade certa mas é alto demais para o armário, tente desmontá-lo. Para fazer isso, retire todas as gavetas e vire a estrutura de cabeça para baixo, então retire as partes. Você pode remontá-las numa versão menor com menos gavetas. Os rodízios também são removíveis. Uma simples prateleira com pés também funciona bem.

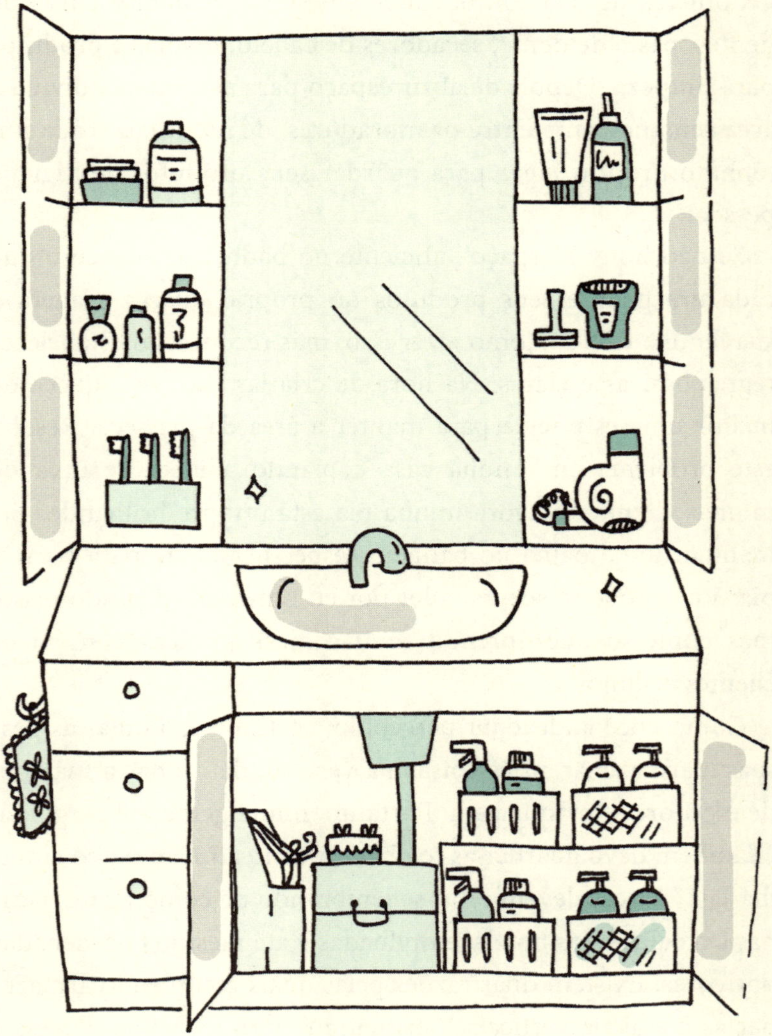

Se você divide o banheiro com outras pessoas, comece armazenando itens comuns antes de colocar seus itens pessoais. Os objetos de uso comum incluem suportes para escovas de dentes, pasta de dente, secadores de cabelo, toalhas e produtos para limpeza. Depois de abrir espaço para esses itens, divida a área remanescente entre os moradores, de modo que cada um tenha o próprio lugar para guardar seus produtos de higiene pessoal.

Se não houver espaço suficiente no banheiro, faça com que cada um guarde seus produtos no próprio quarto. Caberá à sua família decidir como fazer isso, mas recomendo estabelecer regras básicas e claras. Na hora de criá-las, não se esqueça de incluir uma estratégia para manter a área da pia seca. Resolvi este problema em minha casa copiando a ideia de uma de minhas clientes, e agora minha pia está sempre brilhando. Ela mantém uma toalha no banheiro especificamente para secar a pia. Você pode se surpreender por eu nunca ter pensado nisso, mas confesso que aprendo muitas dicas práticas com meus clientes e alunos.

Como você já deve ter percebido, costumo estimular as pessoas a armazenarem as coisas na vertical, de roupas a material de escritório e maquiagem. Portanto, muita gente me pergunta: "Também devo guardar as toalhas na vertical? Não posso empilhá-las?" Vocês devem estar se lembrando de como ficam bacanas as toalhas nos hotéis, empilhadas e até mesmo coordenadas por cores. Existem duas razões pelas quais recomendo armazenar as coisas na vertical. A primeira é porque facilita o acesso. Você pode ver o que está lá numa passada de olhos e rapidamente pegar ou devolver um item sem atrapalhar o restante. A segunda, porque os itens que estão embaixo de uma pilha ficam comprimidos e amarrotados.

As toalhas, no entanto, são geralmente usadas em ordem, de cima para baixo. Não costumamos nos dar ao trabalho de escolher uma específica de algum lugar da pilha. Desde que você garanta que vai colocar as recém-lavadas por último e sempre usar as que estão no topo, a pilha vai permanecer arrumada e organizada. Portanto, a resposta é sim, você pode empilhar suas toalhas. Mas, se preferir escolher a toalha que vai utilizar, então é legal dobrá-las e enrolá-las como as roupas e colocá-las na vertical numa cesta sobre a prateleira.

Transforme seu banheiro num espaço agradável

O cenário revelado no espelho do banheiro é muito importante. Os espelhos tendem a multiplicar a energia daquilo que refletem; portanto, esforce-se para tornar o ambiente neles refletido o mais bonito possível. Se o espelho mostra uma área de armazenamento bagunçada, pendure um pano sobre a unidade organizadora ou guarde as coisas em caixas para deixar tudo arrumado. Também recomendo pendurar uma foto bonita na parede que dá para o espelho. Isso vai manter você envolvido num clima de alegria. Só se certifique de que a moldura é resistente à umidade.

Invista na aparência quando guardar os artigos relacionados ao banheiro

Grande parte dos meus clientes diz que não tem problemas para armazenar os itens relacionados ao vaso sanitário: papel higiênico, desodorizantes, produtos de limpeza e de higiene feminina. Desde que você não guarde uma provisão muito grande, o armazenamento é relativamente fácil, e a maioria dos meus clientes comete poucos erros nesse procedimento. Para ser franca, essa também é uma área onde eu costumava ser bem descuidada. A visita de uma amiga, entretanto, mudou tudo.

"O papel higiênico acabou, então peguei um novo", ela me disse casualmente depois de usar o banheiro. Fiquei paralisada. Para meu desgosto, percebi que tinha fracassado em levar a sério o armazenamento de papel higiênico.

"Será que ela abriu aquele armário", pensei. "Como ela pôde fazer isso sem me perguntar?" Então entendi que eu era a culpada por não garantir que houvesse um rolo extra à disposição. Afinal de contas, ela não podia sair do banheiro sem isso, podia?

Assim que ela foi embora, abri a porta do armário. Os itens de sempre estavam lá, bem visíveis. Não estavam bagunçados, mas suas embalagens deixavam claro seu conteúdo, e isso deixava o espaço de armazenamento pouco agradável – embora eu sempre dissesse aos meus clientes que eles deviam tornar os espaços escondidos mais agradáveis!

Quando pensei no assunto atentamente, percebi que o banheiro – ou o banheiro social, se você tiver mais de um – é o espaço mais público da casa de alguém, mais até do que a cozinha. Mas os itens relacionados ao banheiro são os menos excitantes numa casa. Por isso mesmo a aparência é tão importante no armazenamento de tais itens.

Se o seu banheiro tem um armário embutido, o armazenamento é simples. A regra básica é guardar tudo dentro dele de tal forma que você não fique constrangido se alguém precisar abri-lo. O mesmo vale se você tiver uma prateleira em cima do vaso sanitário. O papel higiênico fica melhor se guardado numa cesta ou caixa. Se não encontrar uma que funcione para você, pode deixar os rolos no pacote e colocá-lo diretamente na prateleira. Se o pacote estiver com apenas um ou dois rolos, ficará mais organizado se você tirá-los do pacote e colocá-los direto na prateleira. Se o seu estoque é muito grande e não cabe na prateleira, guarde os remanescentes com suas outras provisões.

Quanto aos desodorizantes e produtos de limpeza, retire todos os rótulos chamativos das tampas. Se puder, retire os rótulos de todos os itens que usa com frequência, como o produto de limpeza com bactericida para o vaso sanitário ou os lenços umedecidos. Retirar os rótulos ajuda muito a tornar o interior do armário mais refinado. Mas, atenção, não retire os rótulos das embalagens se você tiver filhos em casa ou se os artigos são de uso pouco frequente, como os desentupidores, pois pode ser necessário checar os rótulos para identificar o conteúdo.

Por fim, os produtos de higiene feminina. Guardá-los em sacolas plásticas está fora de questão. A melhor solução é guardá-los numa cesta de ratã ou numa caixa que lhe traga alegria. Qualquer item sobressalente pode ser guardado numa sacola de tecido que seja do seu agrado. Se você mora com sua família e não tem espaço para armazenar esse tipo de produto perto do vaso sanitário, crie um espaço separado em seu armário ou em outro lugar.

Seu armazenamento do banheiro agora está completo. Não foi tão complicado, foi? Leva no máximo dez minutos depois que você encontra a caixa ou a sacola certa para guardar as coisas.

Se o seu banheiro tem uma área separada para o vaso sanitário, veja como é possível aumentar o fator alegria. Seria um vexame armazenar as coisas aleatoriamente quando você pode transformar completamente esse espaço com um mínimo de elementos decorativos. Comece avaliando o que já está lá. Talvez tenha um calendário feio ou uma pilha de livros ou de revistas que você nunca leu. Alguma dessas coisas lhe traz alegria?

O vaso sanitário é feito para descarregar. É um espaço 100% dedicado à saída. Por conta disso, acho que informação textual devia ser evitada a não ser que seja algo realmente inspirador. Em vez disso, use coisas que sejam atraentes aos sentidos, como óleos aromáticos, flores, um quadro ou um enfeite. Escolha uma tampa para o vaso e um tapete que seja de seu agrado. Dê seu toque pessoal.

Já aconteceu de você ir ao banheiro de um restaurante e ficar encantado ao perceber que o conceito do projeto é perfeito para o local? Às vezes basta entrar no espaço para a gente se sentir feliz.

Se você e sua família têm gostos bem definidos e enfeites que podem ser utilizados, talvez seja muito divertido transformar o banheiro num parque temático alegre e interessante. Principalmente se a área do vaso sanitário for separada do restante do banheiro – como ninguém passa muito tempo nela, é melhor injetar uma dose bem grande de alegria. Obviamente, se você se sente melhor em um ambiente tranquilo ou gosta de coisas simples, adapte-o de acordo com sua preferência.

Se as áreas do vaso sanitário e do banho são no mesmo espaço, a limpeza precisa ter prioridade total. Você deve se esforçar para controlar o mofo e a sujeira. Será mais fácil preservar a alegria nesse ambiente se usar apenas enfeites de material à prova d'água. É desnecessário dizer que conservar o banheiro limpo é o segredo para manter um espaço agradável. Tente não ter nada no chão, a não ser uma pequena lixeira e, talvez, uma escova sanitária.

Elimine a essência do "des-prazer"

Quase tão importante quanto acrescentar mais alegria é eliminar a essência do "des-prazer". Ou seja, tudo aquilo que não traz alegria, que é um mero e desnecessário apêndice. Por exemplo, o papel celofane que embrulhava o arranjo de flores que você ganhou de presente é um item ao qual você não precisa se apegar; descarte-o.

O mesmo vale para aquilo que o atordoa sem que você perceba. Por exemplo, quando você abre a porta do armário do banheiro e vê aquela avalanche de informações nos rótulos e adesivos dos produtos. Quanto mais informação irrelevante dentro de sua casa, mais ela se enche de "barulho".

Retire os rótulos das embalagens e deixe os artigos à mostra, ou coloque-os em belas caixas de sua preferência. A simples eliminação desses elementos pode criar um espaço elegante. Os efeitos são incríveis. Se o seu objetivo é o máximo de prazer, recomendo que faça isso.

8
Organizando os itens de valor sentimental

Arrumar os itens de valor sentimental significa colocar o passado em ordem

Enfim, você chegou ao último estágio de sua campanha de arrumação: os itens sentimentais. O mais importante, quando estiver arrumando esta categoria, é acreditar no seu próprio senso de alegria. Você pode se perguntar por que estou dizendo isso agora, mas deixe-me lembrá-lo mais uma vez: nessa altura, sua capacidade de distinguir a alegria é totalmente diferente de quando começamos. Se você se esforçou para armazenar as coisas na ordem correta, de roupas e papéis até a volumosa categoria *komono*, aperfeiçoou sua sensibilidade para o que lhe traz alegria, de modo que agora pode relaxar e continuar arrumando os itens sentimentais.

Mas algumas questões precisam ser destacadas. Primeiro, existe algo que você nunca deve fazer: guardar os itens sentimentais na casa de seus pais. Houve um tempo em que eu achava normal que meus clientes mandassem suas coisas para a casa dos pais, desde que eles realmente tivessem espaço lá. Mas, quando ajudei esses pais a arrumar as próprias moradias, percebi que não conseguiam avançar no processo porque abrigavam uma grande quantidade de caixas dos filhos. Além do mais, uma vez enviadas para outra casa, essas caixas quase nunca eram abertas.

Em segundo lugar, se você não consegue jogar fora alguma coisa, mantenha-a com convicção. Pode ser, por exemplo, uma camiseta desenhada por sua turma do colégio. Se você não consegue abrir mão dela, preserve-a e não se culpe. Em vez disso, confie em seus instintos, que você aperfeiçoou ao escolher o que manter e o que descartar entre uma quantidade inacreditável de coisas. Trate aquela camiseta com integridade e chegará o dia em que você saberá que ela cumpriu sua função.

Por fim, faça bom uso, no próximo estágio da sua vida, dos objetos que escolher manter. Se você vai se dar ao trabalho de selecionar os itens de valor sentimental que lhe trazem alegria, então é essencial conservá-los de um jeito que permita desfrutá-los sempre que quiser. "Será que no futuro precisarei disso para ficar alegre?" Use esse questionamento como um critério para analisar cada item e organizar o passado.

Organizando as lembranças da escola

Todo aluno, durante a vida escolar, recebe cadernetas e diplomas. Se você quer manter algum item desse tipo como lembrança, um bom método é escolher apenas aquele que lhe causou o maior impacto. No meu caso, no entanto, agradeci a todas essas coisas e depois as descartei.

Se você não consegue se livrar de seu uniforme escolar, por que não tenta vesti-lo e mergulha em suas lembranças da juventude? A maioria dos clientes que faz isso cai em si e descarta o uniforme.

Organizando as lembranças de amores antigos

É provável que você guarde, como recordação, muitos objetos que remetem à sua antiga vida amorosa: presentes, roupas, fotos, etc. No entanto, se você está em busca de um novo relacionamento, a atitude básica é livrar-se de tudo. A exceção é para aqueles itens que passaram a fazer parte de seu dia a dia e que já não o fazem lembrar-se daquela relação.

Independentemente de quais sejam as suas memórias, nunca descarregue seus sentimentos negativos nas coisas. Abra mão delas com gratidão por tudo que trouxeram de bom para sua vida.

Se você sente que precisa limpar qualquer carma que possa estar preso às fotos de alguém com quem você rompeu, jogue uma pitada de sal para purificar e coloque as fotos num envelope ou numa sacola de papel, de modo que não consiga vê-las. Esse método de usar a sacola e o sal da purificação funciona não apenas com fotos e bichos de pelúcia, mas também com qualquer coisa que provoque em você algum tipo de vínculo emocional, como os pertences de alguém que morreu.

Uma de minhas clientes, que estava descartando recordações de um antigo namorado, jogou sal na bolsa com tanto vigor que parecia estar expulsando demônios. Enquanto fechava a bolsa, ela comentou: "Não me sentia assim desde aquele dia. Agora posso seguir com a minha vida." Com uma expressão tranquila, ela juntou as mãos e fez uma reverência para a bolsa, dizendo: "Obrigada por tudo." Não tenho a menor ideia do que aconteceu "aquele dia", mas parece que o sal fez efeito.

Gravações com valor sentimental

Gravações com valor sentimental incluem os vídeos de programas antigos e de eventos importantes de sua vida. Vídeos sem identificação podem ser um problema na hora de fazer a checagem da alegria. Se você precisar averiguar o conteúdo de cada um, limite-se a assistir apenas ao início e tome sua decisão de descartar ou não imediatamente. Pessoalmente, sou a favor de descartar tudo sem verificar o conteúdo. Se for possível passar para um DVD ou um computador os vídeos que você decidiu manter, economizará bastante espaço de armazenamento.

Recordações dos filhos

Há várias formas de lidar com essa categoria. É possível fotografar os trabalhos artísticos das crianças antes de jogá-los fora ou decidir quantos manter – sem ultrapassar esse número. Se, no entanto, existem itens dos quais você não está conseguindo se desvencilhar agora, não há necessidade de se obrigar a descartá-los. Mas é importante cuidar deles. Recomendo definir um espaço específico para exibi-los. Assim que os tiver desfrutado ao máximo, agradeça-lhes por terem ajudado seu filho a crescer e descarte-os sem culpa.

Registros da vida

Se você decidir manter recordações como tíquetes de suas viagens, por exemplo, coloque-os num álbum de recortes, de modo que possam ser desfrutados a qualquer momento.

Quanto às agendas, guarde uma que o remeta a um ano feliz. No caso dos diários, dê uma folheada e relembre acontecimentos passados, mas mantenha apenas aquele que ainda lhe trouxer alegria. Ou adote o critério de uma de minhas clientes, que descartou aqueles que a deixariam constrangida se alguém os lesse depois de sua morte.

Cartas

Dê uma olhada em cada carta recebida. Diga adeus, com gratidão, àquelas que cumpriram com sua missão. Em vez de colocá-las diretamente na lixeira, deposite-as numa sacola de papel em sinal de respeito.

Mantenha quaisquer cartas que ainda emocionem você. Como elas se estragam com o tempo, guarde-as num recipiente ventilado e num local com baixa umidade. Se preferir, abrigue-as numa caixa bem bonita.

Arrumar as fotos é o último passo de sua campanha

Como em todos os outros casos, segure cada foto com ambas as mãos e mantenha apenas as que lhe proporcionam alegria. A regra básica é retirar todas as fotos dos álbuns, a menos que algum álbum lhe traga alegria como um todo. Neste caso, deixe-o intato.

Mesmo que você tenha duas caixas de papelão repletas de fotos, não hesite. Com seu atual nível de sensibilidade, ficará surpreso com a rapidez com que conseguirá selecionar aquelas que deseja manter. Descarte qualquer uma que tenha cenas das quais você não se lembre. Quanto aos negativos, jogue todos fora. Uma de minhas clientes disse que manteria apenas as fotos em que ela aparecesse bem – o que é de, certa forma, um critério correto.

Durante o processo de seleção, espalhe todo o material no chão, separando por ano. Assim, você pode se divertir ao organizar seu passado. Colocar as fotos num álbum do qual você realmente goste é o passo final e indispensável da checagem de alegria. As fotos devem ser arrumadas de forma que seja possível dar uma olhada nelas sempre que você quiser.

Arrume as fotos da família junto com a família

Tenho uma confissão a fazer. Só coloquei um ponto final na arrumação das minhas fotos recentemente. É claro que há muito tempo terminei de organizar minhas fotos de adulta, mas não tinha conseguido tocar nas de família, naquelas de quando eu era pequena. Outro dia, no entanto, meu pai revelou que havia encontrado, no porão de casa, cinco caixas de papelão cheias de fotos antigas. Fiquei pensando no que fazer. Será que eu devia pedir a ele que começasse a avaliar seu conteúdo ou eu mesma devia arregaçar as mangas e fazer o trabalho? Por fim, decidi que devíamos fazer aquilo juntos, como uma família.

Na semana seguinte, fui à casa de meus pais, retirei as fotos das caixas, espalhei-as pelo chão e comecei o último capítulo de nosso festival de arrumação. Selecionar essas imagens como uma família, rindo e conversando sobre nossas memórias enquanto determinávamos quais fotos manter, foi provavelmente o trabalho de arrumação mais feliz que já realizei. E isso me deu uma ideia. Resolvi elaborar um álbum de nossas memórias para presentear meus pais. Não fazia nada parecido para eles desde o jardim de infância, e, para ser honesta, tomei essa decisão como parte de minha pesquisa sobre o tema arrumação.

Embora papai e mamãe tenham ficado com uma boa parte das fotos de importantes eventos familiares, como aniversários e

Natais, não consegui me recordar de nenhuma ocasião em que tenhamos nos reunido para apreciá-las e relembrar o passado. Em contrapartida, alguns clientes me mostraram com orgulho seus adoráveis álbuns cheios de memórias e pareciam de fato se divertir enquanto os folheavam. Eu estava curiosa com o fato de os meus pais jamais terem feito isso. Seria um traço de sua personalidade ou apenas falta de oportunidade? Eu também queria descobrir se montar um álbum teria um impacto na maneira de eles arrumarem a casa. Como você pode ver, meus motivos eram altamente suspeitos, demonstrando a maníaca por arrumação que sou.

Como o aniversário de minha mãe era dali a duas semanas, encontrei-me com minha irmã mais nova para montarmos um álbum que refizesse a trajetória de nossos pais depois de casados. O primeiro passo foi encontrar um álbum que proporcionasse alegria. Escolhi um muito bonito e elegante, e que era bem fácil de manusear. Nele cabiam 100 fotos.

Agora que sabíamos de quantas fotos precisávamos, estava na hora de escolhê-las. Dividimos o conteúdo do imenso pacote e olhamos tudo, foto por foto. Nosso critério foi simples: minha mãe precisava estar bonita; devia estar acompanhada por alguém da família; e, é claro, as imagens precisavam irradiar alegria. Nós nos concentramos no trabalho e em menos de duas horas selecionamos apenas 100 fotos.

Mas ainda não tínhamos terminado. As fotos hoje em dia são digitais! Desde o advento da câmera digital, as pessoas tiram incontáveis fotos para as quais raramente olham mais de uma vez. **Quando estiver organizando dados digitais, aplique o mesmo princípio: escolha o que deseja manter, não o que vai descartar.**

225

Comece criando uma nova pasta no seu computador (chamei a minha de "fotos alegres"), em seguida coloque todas as fotos que selecionou dentro dela. Se você tem várias fotos do mesmo dia, escolha apenas a melhor. Concentradas em nossa tarefa, eu e minha irmã levamos apenas uma hora para reduzir nossa coleção a 30 fotos. Essas, nós imprimimos.

É aqui que o verdadeiro trabalho começa. Espalhe todas as fotos no chão, de acordo com o ano em que foram tiradas, avançando da esquerda para a direita até chegar às mais recentes. Se não tiver certeza de quando alguma foi tirada, coloque uma data aproximada. Nós nos guiamos por detalhes como "Os óculos de papai parecem ser dos anos 1980" ou "Fomos a Nagasaki quando eu estava no ensino fundamental, né?".

Essa arrumação permite que você veja que existem mais fotos em alguns anos do que em outros, ou fotos em situações parecidas. A partir dessa percepção, fica mais fácil selecionar e reduzir a quantidade de imagens até ter apenas o número predefinido. Depois, é só colocar todas as fotos no álbum de uma só vez, acrescentando etiquetas e adesivos para enfeitar. O produto final é impressionante.

Quando terminamos, eu havia esquecido que aquilo era parte de uma pesquisa. Estava totalmente focada em agradar minha mãe. O resultado foi um enorme sucesso. Mamãe e papai, que nunca tinham dado atenção a suas fotografias antes, desde então imprimem suas fotos digitais para apreciá-las outras vezes.

Agora eu convido meus clientes a montarem um álbum para os pais como parte da aula de arrumação dos itens de valor sentimental. Se os pais já morreram, sugiro que façam um álbum em memória deles, para rememorar a vida de ambos.

E, após a experiência, seus comentários são os mais variados:

– Não faço nada parecido desde que estava no colégio; é realmente uma diversão!

– Sempre me senti meio distante de meus pais, mas, quando olho para cada fotografia, penso em como eles realmente me amaram e fizeram o melhor para me criar... e me sinto grato.

No final, todos os meus clientes, mesmo aqueles que ainda estão na faixa dos 20 anos, reconhecem que deveriam ter arrumado suas fotos bem antes. Eu me sinto da mesma forma. **Nunca é tarde demais para começar.** Mas, se puder, é melhor cuidar dos seus itens de valor sentimental o mais rápido possível, de modo que possa organizar sua vida e preencher os seus dias com alegria.

PARTE III

A MÁGICA DA TRANSFORMAÇÃO

9
Uma casa que traz alegria

Uma entrada que traz alegria

Como uma maníaca por arrumação assumida, posso dizer qual é a situação dos armários de uma pessoa no exato momento em que coloco os pés na casa dela. O hall de entrada da casa de uma cliente era atravancado com sapatos e uma pilha de jornais a serem enviados para reciclagem. Chaves, luvas e folhetos estavam espalhados aleatoriamente sobre um banco e havia tantas caixas de livros e roupas que parecia um paiol. "Você vai ter que entrar pela porta de trás", avisou ela. "Não dá para passar por aqui." Como eu previa, a casa parecia um depósito. Apesar do exemplo extremo, qualquer casa com uma entrada atravancada tem grande chance de ser *toda* bagunçada.

Mesmo quando, num primeiro olhar, a entrada parece razoavelmente organizada, se o fluxo de ar for pesado, é bem provável que os armários estejam quase estourando de tão cheios. Na verdade, a circulação de ar é uma consideração importante na hora de arrumar, é algo em que penso quando estou planejando todo o armazenamento de uma casa. Minha principal regra é observar como o ar entra e flui pela casa, garantindo que nada o obstrua. Se a entrada está lotada de sapatos e outras coisas, o ambiente na casa será sufocante.

É por isso que recomendo manter a entrada o mais livre possível. Deixe apenas os sapatos que usou naquele dia para arejar. Coisas que são necessárias durante um determinado período da vida, como carrinho de bebê, também podem ficar guardadas aqui.

É preferível manter o mínimo de coisas nesse espaço. Sugiro que você escolha algo de que realmente goste para trazer alegria ao ambiente. Se deseja expor diversos pequenos objetos, o jeito de evitar que fiquem com um aspecto desarrumado é colocar tudo junto numa bandeja ou num pedaço de tecido, de modo que se tornem um único elemento decorativo. Guarde outros itens que você aprecia para decorar o restante da casa.

Uma sala de estar que traz alegria

A função da sala de estar é proporcionar um espaço para a família se reunir, para todos desfrutarem a companhia uns dos outros. Não se esqueça de que ela é o centro da vida familiar.

A sala de estar ideal se caracteriza por móveis que trazem alegria. Recomendo ter um espaço fixo para o controle remoto, para as revistas, e assim por diante. Considere acrescentar plantas, colocar para tocar a música de que você gosta e organizar um cantinho especial para fotos da família.

Uma cozinha que traz alegria

Limpeza é fundamental. Umidade e gordura são os inimigos. É por isso que a facilidade de limpar tem a mais alta prioridade. Não guarde nada na bancada perto do fogão ou da pia. Tenha um mínimo de panelas e frigideiras, guarde os utensílios para cozinhar num único local e tire proveito das soluções de armazenamento vertical para os apetrechos culinários.

E decore sua cozinha. Precisa ser divertido cozinhar nela.

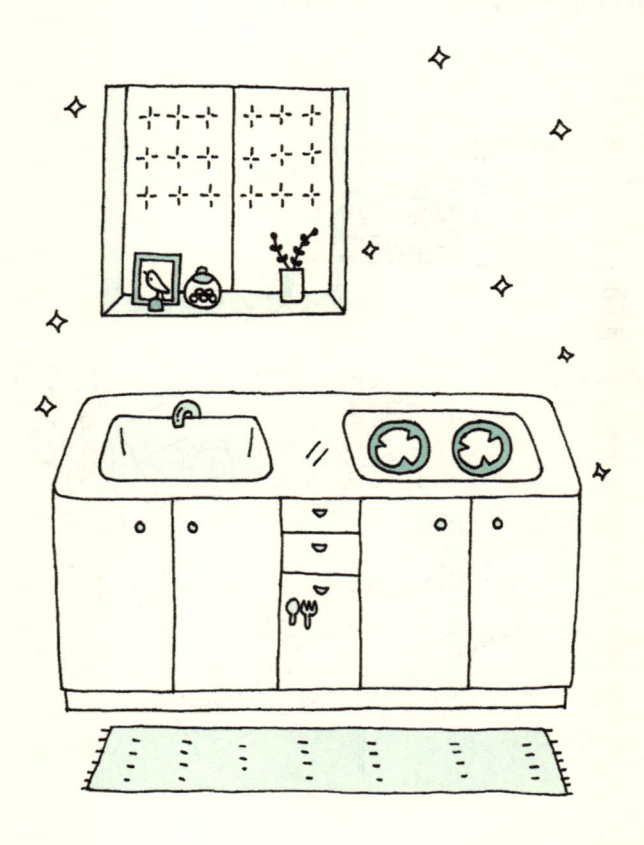

Um escritório que traz alegria

Você pode clarear sua mente descartando todos os papéis desnecessários. Mantenha a área da mesa relativamente livre. Arrume os livros e os materiais de acordo com suas próprias regras.

Considere colocar uma planta ornamental pequena. Não foque apenas no lado prático do escritório. É importante dar um toque agradável exatamente porque se trata de um espaço de trabalho.

Um quarto que traz alegria

Transforme seu quarto num espaço para recarregar as baterias e se recuperar para o dia seguinte. Mantenha a iluminação suave e indireta, ouça música relaxante e acrescente itens e aromas que tragam alegria. Lave os lençóis e as fronhas com regularidade.

Um banheiro que traz alegria

Por que não desfrutar dos confortos de seu banheiro? Tome um banho de banheira à luz de velas e coloque sais de banho, flores, qualquer coisa que você tenha vontade. Mantenha o boxe e a bancada bem limpos. Retire do lugar apenas as coisas de que você precisa e guarde-as quando terminar.

O vaso sanitário é a "área de desintoxicação" da casa. É importante manter a energia fluindo, portanto deixe o espaço sem bagunça. Quaisquer enfeites devem trazer alegria e estar posicionados tendo o fluxo em mente. A limpeza é crucial. O banheiro ideal tem cheiro de frescor natural. Deixe suprimentos como papel higiênico fora de vista, dentro de uma cesta ou cobertos por um pano.

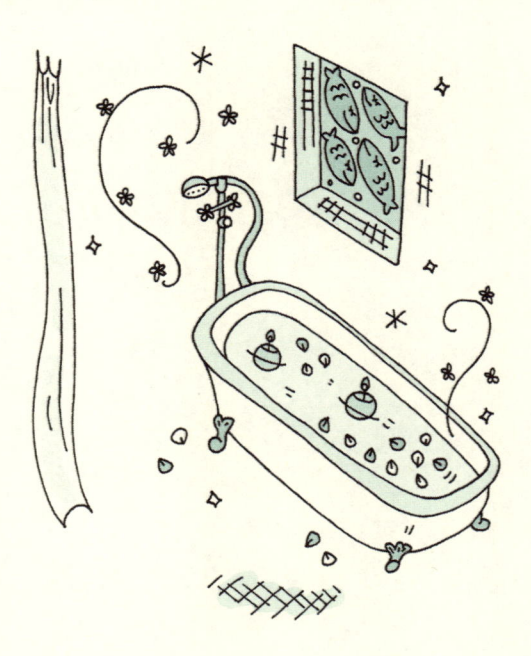

10
As mudanças que acontecem quando você termina

Houve um tempo na minha vida em que eu só trabalhava. Embora fosse grata às pessoas que continuavam ligando em busca de aulas, não conseguia dar conta. Muitas vezes eu dava três aulas por dia, a primeira das sete da manhã até a hora do almoço, a segunda das 13 às 17 horas e, para terminar, uma terceira, das 18 às 23 horas. E não acabava aí, pois, quando chegava em casa, tinha que escrever meu livro. Eu realmente amo o que faço, mas várias vezes parava e, de repente, me dava conta de que não comia direito havia dias. Se continuasse daquele jeito, estou certa de que acabaria no hospital por excesso de arrumação.

Certa noite, quando achei que estava chegando ao limite do que poderia fazer sozinha, meu celular tocou. Era uma aluna chamada Mayumi.

– KonMari – disse ela. – Você me aceitaria como aprendiz?

Que coincidência! No dia anterior eu preparara uma lista de formandos com a ideia de pedir-lhes ajuda. O nome de Mayumi era o primeiro da lista. Ela fizera meu curso havia mais de seis meses. Fico constrangida de dizer que, quando a encontrei pela primeira vez, pensei que tinha um pouco de dificuldade de compreensão. "Organizar está na minha lista mensal de coisas para fazer, mas a casa nunca fica organizada. A sensação é a de que estou o tempo todo arrumando", dizia a jovem. Ela era tão tímida que sua voz desaparecia ao final de cada frase. Mayumi estudou arte porque gostava de desenhar quando criança, mas desistiu da ideia de trabalhar com design bem no meio de uma entrevista de trabalho e foi trabalhar numa loja de artigos variados "porque gosto de mercadorias variadas". Depois de um tempo, foi promovida a gerente, mas decidiu sair quando percebeu que não queria de fato ser gerente. Quando a conheci, ela era vendedora temporária.

– Acho que não sou boa em nada. Nunca consegui terminar o que me propus a fazer. Fico pensando se sou realmente capaz de organizar e arrumar... Não consigo me ver fazendo esse trabalho para sempre, porém não tenho a menor ideia do que realmente quero fazer... Sinto-me muito insegura em relação a tudo.

Essa era Mayumi. No entanto, na nossa segunda aula ela já começara a mudar.

– Oi – disse ela ao abrir a porta.

Vestia um blazer preto sobre um vestido vermelho com detalhes de fitas. Aquele visual contrastava bastante com os jeans e o casaco de moletom que ela usara na primeira aula. Eu sempre uso blazer no trabalho para demonstrar meu respeito pela casa de cada pessoa, mas ela foi a primeira cliente a se vestir com elegância para uma aula.

– Decidi que de agora em diante quero enfrentar minhas coisas de maneira adequada – explicou.

Ainda consigo me lembrar de meu espanto diante de seu tom claro e confiante.

Foi essa mulher que virou minha aprendiz, e sua paixão por organizar e arrumar foi uma grata surpresa para mim. Sempre que pode, ela me acompanha nas aulas como assistente. Leva os sacos de lixo para fora, ajuda a reunir as roupas e rasga papéis confidenciais. Quando necessário, pega o martelo e desmonta um aramado ou monta um relógio cuco que nunca foi desencaixotado e o pendura na parede. Enquanto falo com os clientes, ela se acomoda discretamente no chão, observando minhas aulas com atenção. Depois da aula do dia, nós nos sentamos num café para tomar um chá e revisar os truques do negócio da arrumação.

Ela sempre leva seu bloquinho de notas, no qual registra em detalhes o que digo e todos os segredos do armazenamento. Já faz dois anos que está trabalhando ao meu lado, e ela parece ter se tornado uma pessoa totalmente diferente da que era quando a conheci. Não apenas aperfeiçoou suas técnicas de arrumação como seu discurso e seu comportamento agora são cheios de confiança. Outro dia lhe perguntei casualmente:

– Mayumi, sua vida é feliz?

– Sim! – respondeu de maneira enfática.

Para as pessoas ao redor dela, sua transformação pode não parecer tão óbvia. Mas mesmo pequenas mudanças podem modificar por completo a vida de uma pessoa. Sem dúvida, a arrumação também mudará a sua. Não estou dizendo que, de repente, você se tornará um sucesso em termos sociais ou que ficará muito rico – embora isso até aconteça com alguns indivíduos. A grande mudança que se dá por meio da arrumação é que você aprende a gostar de si mesmo.

Quando arruma, você ganha confiança.
Você começa a acreditar no futuro.
As coisas começam a funcionar mais facilmente.
As pessoas que você conhece mudam.
Coisas inesperadas acontecem de uma forma positiva.
A mudança começa a se acelerar.
E você começa a, de fato, desfrutar sua vida.

E todo mundo pode experimentar isso. Quando as pessoas sentem a satisfação proporcionada pela arrumação, querem contar umas às outras, e falam com paixão sobre a transformação que vivenciaram. **A arrumação é contagiosa.**

A opinião entusiasmada de Mayumi, que antes detestava arrumar, sempre me lembra da mágica da arrumação.

Arrume a casa e organize a vida amorosa

Quando pergunto a meus clientes japoneses "Que tipo de espaço você quer?", por alguma razão muitos respondem: "Um espaço que me ajude a atrair o amor e a me casar." Não sou especialista em aumentar a sorte no amor ou no casamento por meio da arrumação. No entanto, com frequência escuto de meus clientes que suas vidas amorosas ficaram mais tranquilas depois que arrumaram a casa. As razões são variadas. Para alguns, superar o complexo de inferioridade no que diz respeito à arrumação promoveu a confiança, tornando a pessoa mais proativa no amor. Para outros, a arrumação aumentou a alegria no relacionamento, a ponto de a pessoa propor casamento. Mas já houve clientes que me relataram que, como consequência da arrumação, decidiram terminar a relação. **Não importa o desfecho, está claro que a arrumação também pode nos ajudar a organizar a vida amorosa.**

Quando entrevistei N antes da primeira aula, nossa conversa mudou da questão da arrumação para suas preocupações sobre sua vida amorosa.

– Não sei se o cara com quem estou saindo é a pessoa certa para mim – confessou.

Eles namoram há três anos e trabalham na mesma empresa. Algumas roupas e pertences dele ficam no apartamento dela. Como eu não tinha sido contratada para dar conselhos sobre sua vida amorosa, me limitei a dar conselhos sobre arrumação. Ainda assim, com a observação do que acontecia com meus clientes, aprendi que, quando as pessoas estão inseguras sobre seus relacionamentos, elas tendem a ter muitos documentos desorganizados. N não era exceção. Ela guardava talões de cheques que jamais usaria, formulários para informar o novo endereço que nunca preencheria, recortes de receitas que um dia arquivaria, entre outras coisas.

– Acho que eu devia primeiro resolver outras questões, antes de me preocupar com minha vida amorosa – disse ela, sorrindo.

Fui embora e a deixei com a tarefa de selecionar todos esses papéis antes da aula seguinte. Quando retornei, percebi que ela estava diferente, quase despreocupada. Tinha feito o dever de casa e reservado um dia para preencher e enviar todos os formulários. E, à medida que foi arrumando a casa, ela percebeu que não podia mais negar que estava confusa quanto a seu relacionamento, então ela e o namorado resolveram dar um tempo.

– Eu queria ter um espaço para entender meus sentimentos – explicou.

Terminamos o trabalho em apenas duas aulas. Fiquei sem ver N por uns cinco meses. Quando tivemos a oportunidade de nos reencontrar, fiquei surpresa ao saber que ela e o namorado iam se casar.

– Depois de nos afastarmos por um tempo, ele me pediu em casamento. Antes, eu talvez tivesse hesitado. Mas, durante o período em que estivemos longe um do outro, meus sentimentos ficaram bem claros. Agora, estou certa do que me faz feliz, então pude dizer um sim do fundo do coração.

Fiquei emocionada com o brilho de felicidade em seus olhos.

Tendo atuado como consultora por tantos anos, aprendi que as pessoas que ainda não encontraram alguém de quem realmente gostem tendem a acumular papéis e roupas velhas, enquanto as que têm relacionamentos mas estão inseguras tendem a ser descuidadas com suas coisas. As relações que temos com os outros se refletem na maneira como nos relacionamos com nossos pertences, e vice-versa.

Arrumar a casa coloca o relacionamento em foco

Quase metade de meus clientes tem filhos. Durante minhas aulas, percebo como é difícil educar os filhos e trabalhar, principalmente quando as crianças são muito pequenas.

Uma de minhas clientes, F, era casada e tinha dois filhos, um de 2 e outro de 4 anos. Tanto ela quanto o marido eram professores do ensino fundamental.

— Estou sempre cansada — confessou ela. — Quando chego em casa do trabalho, estou tão exausta que nem consigo pegar o lixo do chão. Depois, me sinto culpada por não conseguir fazer uma coisa simples como essa. Meu marido chega mais tarde, mas detesto reclamar porque sei que o trabalho dele também é muito pesado. Antes eu adorava o meu trabalho, mas às vezes fico insegura e me pergunto se é normal continuar desse jeito. Neste momento, minha vida está focada em "enfrentar" e "superar". E eu gostaria mesmo era de ter um tempo livre para relaxar e beber um pouco de chá na minha xícara predileta.

Quando F terminou a arrumação, ela sabia que adorava seu emprego. Admitiu que os livros didáticos que a princípio pensara em descartar na verdade lhe davam alegria.

— Meu closet estava tão cheio de coisas sem relevância que eu não conseguia cuidar das que de fato importavam. Eu nem sequer conseguia cuidar de mim mesma. Ainda estou atarefada. Há momentos em que não tenho vontade de fazer nada. Mas estou muito menos ansiosa e já não me cobro tanto.

Sua relação com o marido também mudou. Até então, cada um se esforçava para cumprir o próprio papel em separado, mas agora trabalham conscientemente juntos para construir sua família. Os dois compartilham seus pensamentos sobre o futuro e têm aulas juntos.

— Nós nos dedicamos a pensar sobre o tipo de vida que queremos ter daqui a 20 anos. Quando compartilhamos nossa visão, descobrimos que ambos queremos viver na casa em que moramos agora. Pela primeira vez na vida, consegui dizer a ele que estava feliz por tê-lo escolhido como companheiro.

As mudanças que a arrumação provocou no trabalho e no relacionamento de F podem não ter sido radicais, mas "o número de vezes que parei, de repente, no meio da preparação do jantar ou da tarefa de colocar a roupa para lavar e me senti feliz definitivamente aumentou". Esta é uma afirmação bastante comum. Aprendi com meus clientes que o que traz alegria é desfrutar a vida cotidiana em vez de aceitá-la sem discutir.

Se as coisas de sua família incomodam, faça como o sol

Com frequência, recebo mensagens do tipo "Como posso ajudar minha mãe a organizar suas coisas?" ou "Minha mulher precisa de suas aulas".

À medida que você avança no processo pessoal de arrumação, as coisas e o espaço da família podem realmente começar a incomodar: "Meu marido parece ter ficado inspirado com a minha arrumação. Ele reduziu a quantidade de objetos que possui, mas ainda não o suficiente. Deve haver algo que eu possa fazer para que ele leve isso mais a sério."

Conheço bem a sensação, e a irritação, que se instala quando você vê a diferença entre o seu espaço e o do restante da família.

"Mal posso olhar para as coisas do meu marido", Y afirmou com um suspiro. Y morava com o marido e dois filhos, e nossas aulas estavam quase terminando. Só faltava encerrar a arrumação da cozinha e guardar alguns itens no corredor de entrada e no banheiro. Ela tinha se desvencilhado de muitos pertences e estava feliz com o closet e o armário, que agora continham apenas aquilo de que ela gostava. Mas o espaço do marido, que ocupava uma área de 3,60m x 3,60m, havia começado a incomodá-la. "Do meu ponto de vista, tudo ali dentro não passa de um monte de lixo", afirmou.

O lugar estreito estava lotado de miniaturas de tanques e de castelos, além de estatuetas de guerreiros japoneses de diversos períodos. Era realmente um grande contraste com o ambiente simples e natural a que Y aspirava, embora fosse possível perceber que seu marido tinha um certo senso de ordem e que o espaço não estava bagunçado.

– Ele usa a metade de cima da estante e eu utilizo a de baixo, mas, toda vez que vou pegar um livro, palavras como "estado de guerra", que estão no lado dele, pulam em cima de mim, e eu não suporto isso – reclamou.

Ela parecia bastante radical, então perguntei:

– Alguma vez seu marido conversou com você sobre os interesses dele?

– Por que ele conversaria? Está claro que não dou a menor importância mesmo.

Decidi passar uma tarefa para ela fazer em casa.

– Se você não gosta de algo que pertence a outra pessoa, a regra é não prestar atenção nisso. Mas, se você não conseguir deixar de olhar para as coisas de seu marido e elas realmente forem um incômodo, então quero que segure cada uma delas com ambas as mãos. Pegue, por exemplo, um boneco ou passe o dedo de leve na capa de um livro. Toque determinado item e olhe para ele com atenção por pelo menos um minuto.

Na aula seguinte, perguntei como tinha sido a experiência.

– No início, eu nem queria tocar em nada e achei que a tarefa seria dolorosa – disse Y. – Mas, curiosamente, ao olhar para um dos objetos por mais de um minuto, comecei a vê-lo de forma diferente. Ao observar um castelo em miniatura, me peguei pensando: "Veja como suas peças são pequenas..." Ao tocar numa camiseta com o nome de um general famoso escrito nela, pensei: "Imagino o que ele sente quando veste isso." No fim, me senti grata por aqueles objetos trazerem alegria à vida de meu marido.

O dever de casa foi um enorme sucesso.

Se você não pode evitar certas coisas, tente enfrentá-las. O primeiro passo é tocá-las. Se Y tivesse apenas olhado para os pertences do marido, sem tocá-los, ela não teria sido capaz de ver nada além de brinquedos. Ao segurá-los, no entanto, eles se tornaram reais. Um guerreiro, por exemplo, já não era mais um anônimo samurai, e sim o grande líder Takeda Shingen. Isso já diminuiu pela metade a aversão às peças.

Mas existem coisas nas quais você simplesmente não suporta encostar. Nesse caso, não se obrigue a fazê-lo. Para certas pessoas, fotos de insetos, por exemplo, podem ser muito grotescas. Se você sente, com um simples passar de olhos, repulsa por algo, mantenha distância. Um detalhe importante: jamais toque, sem permissão, numa peça que alguém considere um tesouro particular. **Você não precisa se obrigar a gostar das coisas do outro. Basta ser capaz de aceitá-las.**

Embora não pertençam a você, os objetos que pertencem ao restante de sua família são parte da casa onde você reside. Do ponto de vista da entidade maior, que é a casa, suas coisas e as coisas dos outros moradores são igualmente seus filhos. Essa é uma questão importante e precisa ser entendida. Apesar de sua família viver sob o mesmo teto, a regra é que cada pessoa deve ter o próprio espaço. Se há uma área claramente definida para você usar como quiser, seus pertences serão mantidos longe do "território alheio". Se o espaço pessoal não é definido, todos perdem a noção dos limites dos locais de armazenamento e as coisas tendem a se acumular, o que torna difícil sentir prazer de estar em casa.

Outra regra fundamental é não nos intrometermos na forma como os outros usam seus espaços. Sugeri, anteriormente, que você criasse o seu próprio cantinho energético dentro de casa. Seus familiares também precisam criar os deles. Então, se alguém conseguir realizar uma arrumação, por menor que seja, elogie. Não critique. Arrumar é naturalmente contagioso, mas, quando você tenta obrigar uma pessoa a fazer isso, enfrenta uma implacável resistência. Lembre-se da fábula de Esopo sobre o vento e o sol: o vento fracassou em arrancar o casaco do viajante, mas o sol fez com que o próprio viajante o tirasse apenas com seu brilho. É bem mais eficiente agir como o sol.

Não insista para as pessoas se organizarem se elas não quiserem

Recebi a informação de que uma pessoa que ajudei a fazer a arrumação, num programa de TV, teve uma recaída espetacular depois. Embora um programa seja diferente de minhas aulas regulares, foi a primeira vez que alguém ajudado por mim teve uma recaída. Fiquei tão chocada que levei um tempo para me recuperar.

Graças a isso, no entanto, percebi como tinha sido arrogante. Primeiro, por ter a convicção de que um aluno meu, independentemente do nível de bagunça de sua casa, jamais teria uma recaída. Segundo, por ter a convicção de que todo mundo se sentiria feliz em viver num lar organizado e arrumado. Mais tarde, descobri que a pessoa em questão estava muito feliz morando num espaço atravancado.

"Como posso fazer com que minha família se organize?" Esta é uma pergunta que ouço com frequência. Mas, muitas vezes, quando vou entrevistar um indivíduo e sua família para acertarmos a organização de sua casa, percebo que não posso ajudar, pois noto que os familiares não têm uma vontade forte de mudar. Um de meus livros preferidos, cujo autor é Shinobu Machida, tem como título algo que seria traduzido como "A fascinante arte de não descartar". Machida, um naturalista, gosta de colecionar caixas de chocolate e de *natto* (soja fermentada), e tem milhares de cada. Ele diz que não gosta de casas espaçosas que parecem não ser totalmente ocupadas e segue enaltecendo a virtude de *não* descartar. O que lhe dá alegria é o espaço em que mora hoje, que é cheio de coisas.

Naturalmente, o tipo de moradia que traz alegria a uma pessoa depende dos seus valores individuais. Não podemos mudar os outros. E nunca devemos forçar alguém a se organizar. **Apenas quando aceitamos de modo incondicional aqueles cujos valores diferem dos nossos é que podemos realmente dizer que terminamos a arrumação.**

Quando eu morava com minha família, nunca fui bem-sucedida em fazer nossa casa se adequar à minha imagem do estilo de vida ideal. Não sei quantas vezes suspirei diante da visão dos quartos de meus irmãos e do banheiro, que não permaneciam arrumados nem duas horas. Apesar da vergonha de admitir, estava arrogantemente convencida de que minha família não poderia ter nenhuma alegria na vida enquanto vivesse naquela situação. Na realidade, as pessoas que escolhem viver desse jeito costumam ser felizes. Ficar triste por elas foi um desperdício de energia.

Por meio dessa experiência, percebi que quando começo a julgar os outros é porque algo na minha própria vida precisa ser colocado em ordem, seja o meu quarto ou uma tarefa que estou protelando. Isso se aplica não apenas a mim, mas a quase todo mundo que se sente dessa forma, esteja no meio da arrumação ou terminando o processo. Quando as coisas que pertencem aos outros incomodam, o truque é manter-se firme no caminho e focar em arrumar o próprio espaço. **Ao terminar de fazer a arrumação, você terá vontade de se dedicar a várias tarefas diferentes, então se dará conta de que não dá mesmo para perder tempo reclamando dos outros.**

O que você deve fazer se terminar de arrumar o seu espaço, mas a bagunça da família ainda o deixar irritado? Para ajudar a diminuir sua sensação de frustração, recomendo se dedicar à limpeza.

A limpeza diária envolve, para começar, três passos: devolver os objetos aos seus devidos lugares, agradecer sempre que usar algum e cuidar bem deles. Depois disso vem a limpeza. Ela deve ser meticulosa e precisa ser iniciada em seu espaço pessoal. Em seguida, você pode cuidar dos espaços comunitários, como a entrada e o banheiro.

Em vez de esperar que os outros se organizem, dedique sua atenção a analisar tudo dentro de casa. É esse processo que ajuda a acabar com a irritação. À medida que você vai limpando, sua casa se torna nitidamente mais limpa e, antes que você perceba, estará se sentindo mais calmo e aliviado.

O passo seguinte é como reagir aos membros de sua família se, inspirados pela felicidade transmitida por você, eles começarem a demonstrar interesse em arrumar as próprias coisas. O momento de oferecer ajuda é quando você nota essa vontade surgir. Mas lembre-se de que você está apenas querendo auxiliar. Não critique o critério de alegria deles nem tome decisões por eles. Dá muito trabalho juntar todas as coisas num único local e tirar todas as sacolas do lugar. A razão de muita gente não conseguir começar, mesmo que sinta desejo de fazer isso, é o fato de a tarefa parecer hercúlea. Mostrar apoio físico e prático é uma maneira eficiente de estimular as pessoas a darem o primeiro passo.

Obviamente, se elas quiserem resolver tudo sozinhas, não insista em ajudar. Se começarem a fazer perguntas do tipo "Você acha que seria bom eu me livrar disso?", responda com um encorajador "Claro, sem problema".

Ensine seus filhos a dobrar as roupas

Assim que você terminar a arrumação, uma coisa útil que você pode ensinar a quem até o momento evitou arrumar a casa é como dobrar as roupas. Dominar a técnica de dobrar as roupas pode determinar se a pessoa ficará ou não motivada a continuar arrumando.

Enquanto a capacidade de identificar algo de que você gosta pelo toque com as mãos só pode ser aperfeiçoada com a experiência, dobrar é uma técnica que pode ser aprendida com mais rapidez se alguém lhe ensinar. Isso também vale para as crianças.

"Meus filhos fazem muita bagunça. Isso me deixa louca..." Os clientes que dizem isso estão, em geral, tentando ensinar seus filhos a guardar os brinquedos como primeiro passo no treinamento para a arrumação. Mas esse é o momento errado para começar. Brinquedos são difíceis de classificar porque são muito variados e também porque são feitos de diversos tipos de material. Isso faz com que acondicioná-los seja bem complicado. Até porque as crianças não brincam todo dia com os mesmos brinquedos, ou da mesma maneira. Portanto, organizá-los é um passo bastante avançado para quem é iniciante.

As roupas, por outro lado, podem ser classificadas com relativa facilidade, pois costumamos usar tipos parecidos todos os dias. Uma vez que as crianças aprendam a dobrar, fica fácil para elas colocar as roupas em seus devidos lugares. Isso a torna a categoria mais apropriada para treinar as crianças. Melhor ainda: quando você lhes ensina a demonstrar gratidão pelas roupas à medida que as dobram, está ensinando não apenas a necessidade de guardá-las após vesti-las, mas a própria essência da arrumação. Por esta razão, dobrar é uma técnica de arrumação fundamental tanto para adultos quanto para crianças.

"Experimentei dobrar roupas junto com a família e todo mundo se divertiu!" Este é o comentário mais frequente após as demonstrações que faço na TV sobre o assunto. Dobrar é ótimo porque estimula a comunicação e ajuda a arrumar a casa. Se sua família vai ou não ser picada pelo bichinho da arrumação depende realmente de você. Então espero que se divirtam dobrando roupas juntos.

Mesmo que você fracasse, não se preocupe – sua casa não vai explodir

Recentemente, comecei a aprender a fazer pão. Uma de minhas clientes tem um café, e o pão que ela serve é excelente. Quando descobri que ela dava aulas, me inscrevi na hora.

Suas aulas, que parecem experimentos científicos, são fascinantes. Depois de aprender o básico de como fazer o pão, nós alteramos partes diferentes da receita, como o tempo para crescer a massa, e comparamos os resultados. Isso significa que tivemos de comer muitos pães deliciosos. A professora explica as mudanças que ocorrem com cada ingrediente e por que resultam em sabores e texturas diferentes, de modo que possamos entender como o processo funciona. Escolhemos as variedades de que mais gostamos entre os diversos experimentos, tentamos reproduzi-las em casa e então compartilhamos na aula seguinte o que aprendemos, com o feedback da professora. Como passei a vida imersa em arrumações, sem nunca ter feito um pão, confesso que ficava nervosa com cada detalhe.

Um dia, eu e outros alunos resolvemos expor nossas dúvidas e preocupações:

– Diz aqui que não se pode acrescentar mais de 20% de mix de vegetais, mas quero um pão com bastante cenoura. Será que posso colocar um pouco mais?

– Não sei quando devo parar de sovar.

– Sempre deixo a massa crescer por tempo de mais.

Nossa professora respondeu pacientemente a todas as questões. Quando terminamos, ela sorriu.

– Não se preocupem – disse ela. – Nada vai explodir nem qualquer coisa do gênero!

Essas palavras foram uma revelação. Eu tinha definido um padrão tão alto que estava paralisada pelo medo de fracassar antes mesmo de começar. O pão é feito a partir da mistura de farinha de trigo, água e fermento. Se você seguir as regras básicas, o resultado é quase sempre delicioso. E, mesmo que você cometa algum erro, não vai ser um desastre. Em vez de ficar tensa, eu podia simplesmente lidar com o preparo do pão como se fosse qualquer outro tipo de comida. A professora nos estimulou a desfrutar a experiência de modo que pudéssemos descobrir nossos pães favoritos. Afinal, cada pessoa tem suas preferências em termos de tipo de farinha, tempo de forno, e assim por diante.

Com a arrumação, acontece a mesma coisa. Durante a fase de perguntas após minhas aulas, muitas pessoas levantam as mãos.

– Tem um closet na entrada de casa. Eu guardo meus casacos de frio e protetores de ouvido lá, pois posso pegá-los com facilidade quando estiver saindo. Mas devo parar de fazer isso porque significa que minhas roupas estão guardadas em mais de um lugar?

Respondo que tudo deve ser mantido no mesmo lugar. Essas roupas foram obviamente identificadas como uma categoria separada de "coisas para vestir antes de sair de casa" e, com isso, o armazenamento de roupas não está de jeito nenhum espalhado.

– Você disse para não deixarmos nossos familiares verem o que descartamos. No entanto, quando estou arrumando com meu marido, ele me dá toques sobre o que acha interessante ou não. Acho os comentários dele úteis, além de ser muito mais divertido fazer isso a dois. Acha que devo parar de fazer isso para poder me comunicar com as minhas coisas em silêncio?

Minha resposta é que continue assim. Desde que ela não siga conselhos que não lhe tragam alegria, não tem problema. Porém, atenção: não importa como você vai fazer para decidir do que vai se livrar, no final é você, sozinho, quem assume a responsabilidade por aquela decisão.

– Não consigo fazer isso! – alegou uma cliente. – As meias e roupas íntimas eu consigo dobrar, mas, na hora dos cardigãs e suéteres, pode esquecer. Para essas peças, uso cabides. Existe alguma outra maneira de fazer isso?

Pendurar esse tipo de roupa é normal. Como elas ocupam mais espaço, no entanto, você pode precisar compensar usando cabides mais finos se tiver muita coisa para pendurar.

Com isso, você pode perceber que todos os meus clientes encontram seu próprio jeito de arrumar, até porque eles querem fazer a coisa "certa", pois estão sempre com medo de fracassar. Deixe-me assegurar que tudo vai dar certo para você. E, mesmo que cometa um erro, sua casa não vai explodir. O primeiro passo é se livrar de quaisquer certezas que possa ter e seguir as regras básicas da arrumação. Feito isso, você vai desfrutar ainda mais a arrumação se ajustar os detalhes para adequá-la ao seu próprio senso de felicidade. Isso também permitirá que termine mais rápido o festival de arrumação.

Você está gostando de sua temporada de arrumação? Ou será que a própria arrumação virou seu objetivo, tornando-se uma espécie de castigo cuja simples lembrança já dispara os sinais de estresse? Você está começando a sentir que não conseguirá fazer mais nada até terminar de arrumar e organizar tudo? Quando conheço pessoas que se sentem assim, me lembro dos meus tempos de colégio, quando estava tão obcecada em arrumar que tive um colapso nervoso.

Se estiver se sentindo assim, por favor, permita-se descansar. Interrompa a arrumação e concentre suas energias em curtir as coisas que você tem. Faça uma pausa e diga "obrigado" às roupas que está vestindo, ao seu computador, aos pratos e às colchas, ao banheiro e à cozinha. Ou seja, a tudo dentro da sua casa que o deixa feliz. Uma vez que você entenda que tudo está ali para protegê-lo e apoiá-lo, e que você já tem o suficiente mesmo agora, então pode prosseguir com a arrumação.

Quem se diverte com a maratona de arrumação leva a melhor. Desde que você desenvolva uma compreensão sólida do que é básico, siga em frente e tome as próprias decisões guiado pelo que lhe traz alegria. O pão que eu faço ainda tem um longo caminho a percorrer. Com frequência, me esqueço de colocar algum ingrediente ou sovo demais, ou durmo enquanto a massa está crescendo. Mas estou me divertindo, então sei que no final vai dar tudo certo.

Coisas que trazem alegria absorvem lembranças preciosas

À medida que fui ensinando meus clientes a arrumar e organizar, eles começaram a me chamar de "professora". Faz tempo que atingi o estágio de ter coisas suficientes em minha vida e, tendo permanecido fiel ao meu senso de alegria e posto em prática as regras do meu trabalho, meu armário nunca tem roupas em excesso e os livros nunca acabam empilhados no chão. Obviamente, compro roupas novas e outros objetos, mas, na mesma proporção, abro mão daquilo que cumpriu seu propósito. Portanto, nunca me sinto inundada de pertences e fico muito à vontade e satisfeita com tudo que possuo. Ainda assim, até recentemente, eu tinha a sensação de que alguma coisa ainda faltava. Parecia haver algo que meus clientes tinham descoberto através da arrumação que eu ainda precisava descobrir.

Há pouco tempo, fui ver a floração das cerejeiras com minha família. Eu estava me sentindo meio bloqueada no trabalho, então decidi ligar e convidá-los para ir comigo. Não nos dirigimos a nenhum lugar em especial, só ao parquinho perto de casa. O fato de não ser muito conhecido fez dele um lugar fantástico para apreciarmos as cerejeiras em flor. As árvores estavam completamente floridas, porém não havia mais ninguém com uma toalha estendida fazendo piquenique embaixo delas, então tivemos exclusividade.

Minha mãe preparou uma cesta de piquenique e eu e minha irmã nos comportamos como menininhas excitadas. Embora o cardápio fosse limitado, ele estava embalado lindamente e com um carinho tão óbvio que fiquei emocionada. A visão do conteúdo arrumado de maneira tão harmoniosa ativou a maníaca por arrumação que existe em mim e foi inevitável compará-lo a um exemplo perfeito de gaveta organizada.

Mas isso não foi tudo. Minha mãe abriu um pacote, de onde tirou uma garrafa que continha um líquido aromático, que me lembrava a infância, e pequenos copos de vidro rosa com desenhos de flores de cerejeira. Quando a bebida foi servida, parecia que as cerejeiras estavam florescendo em nossos copos. "Que lindo!" As flores que vi naquele dia com minha família foram as mais lindas que já contemplei na vida.

Quando voltei para casa, algo no apartamento parecia diferente. Nada tinha mudado desde o dia anterior. Ainda era o lugar que eu adorava, com todos os objetos que me traziam alegria, cada um deles colocado confortavelmente em seu devido lugar. Naquele momento, a imagem dos copos com desenhos de flores que tínhamos usado naquela tarde surgiu na minha mente. E, enfim, entendi. Os copos que minha mãe escolheu me mostraram os momentos preciosos que eu estava deixando passar. **Quero viver a vida de um jeito que ela preencha de memórias as minhas coisas.**

Os copos foram uma demonstração do amor e da afeição de minha mãe, escolhidos de acordo com seu desejo de tornar aquele dia especial para nós. Eu tinha visto aqueles copos em nossa casa muitas vezes e sempre os achei bonitos. Mas ali eles foram transformados naqueles "copos especiais que minha mãe encheu daquela bebida aromática quando fomos ver as flores". Percebi que o valor das coisas com as quais passei momentos preciosos não pode ser comparado com o valor das coisas que possuem lembranças valiosas do tempo passado com outras pessoas.

Minhas roupas e meus sapatos preferidos são especiais, e uso tudo com regularidade, mas eles não podem competir com os objetos que foram impregnados das lembranças das pessoas que amo. Percebi que eu sentia falta, na verdade, de estar com a família. Realmente passo muito menos tempo interagindo com as pessoas que amo do que com minhas coisas e com meu trabalho. Obviamente, continuarei a valorizar o tempo que passo sozinha. Mas o propósito disso é me ensinar a desfrutar um tempo ainda mais recompensador com meus entes queridos, de modo que eu possa contribuir mais para a felicidade daqueles que estão ao meu redor.

Se os copos fossem simples e comuns, ainda assim eu me lembraria da bebida trazida por mamãe, mas duvido que me lembrasse dos copos. Os objetos que estão impregnados de memórias carregam uma marca bem mais nítida dos momentos especiais, mantendo o passado vívido em nossas mentes. Já os objetos que nos trazem alegria têm uma capacidade ainda maior de absorver nossas lembranças. Quando esses copos por fim se quebrarem, após terem cumprido seu propósito, e o momento de me despedir deles finalmente chegar, sei que terão deixado as lembranças de nosso piquenique à sombra das cerejeiras em flor gravadas para sempre no meu coração.

Nossas coisas fazem parte de nós e, quando elas desaparecem, deixam lembranças eternas.

Desde que eu olhe para meus pertences atentamente e mantenha apenas aqueles de que gosto, desde que eu cuide deles enquanto estiverem comigo e procure conscientemente tornar meu tempo com eles o mais precioso possível, todos os dias esses itens serão plenos de entusiasmo e alegria. Esse entendimento deixa o meu coração bem mais leve.

Por essa razão, peço mais uma vez: termine de organizar seus pertences o mais rápido possível, para poder passar o resto da vida cercado pelas pessoas e pelas coisas de que você mais gosta.

Epílogo

Aos 15 anos, tendo me rendido à vocação de arrumar, eu passava os dias arrumando não apenas meu quarto, mas cada espaço de casa, dos quartos dos meus irmãos à cozinha, da sala de estar ao banheiro. Como conto essa história em todos os lugares que vou, muitas pessoas acham que nossa casa deve ser muito bem arrumada, mas receio que isso não seja verdade. Mesmo depois de ter publicado meu primeiro livro, nada mudou. Um dia, recebi o seguinte e-mail: "Cara KonMari, por favor, me ensine a arrumar."

Sempre dou prioridade aos clientes que marcam uma aula, mas, quando vi o nome do remetente, imediatamente decidi abrir mão das férias que tinha planejado e marquei a aula requisitada.

O pedido de arrumação era, quem diria, de meu pai.

Ele agora usa o quarto que tinha sido meu, um espaço de 2,70m x 3,60m, com um único armário e uma estante embutida. Era pequeno, com uma cama e uma escrivaninha, mas, para mim, era o paraíso. Eu o mantinha limpo, varrendo o piso toda noite antes de deitar.

Quando cheguei na casa, no entanto, encontrei o quarto totalmente diferente. A primeira coisa que vi ao abrir a porta foi uma arara de roupas bem na frente do armário, bloqueando uma das portas. Uma caixa de papelão cheia de comida para situações de emergência estava no chão e, ao lado dela, um gaveteiro de plástico com duas gavetas grandes cheias de produtos de limpeza, entre outras parafernálias. Uma pilha de revistas se elevava na frente da estante e, o pior de tudo, uma nova televisão digital tinha sido instalada em cima da velha TV analógica, num arriscado arranjo de TV sobre TV.

Só para esclarecer: meu pai, na realidade, gosta de limpar e de decorar ambientes e costuma ser bastante criterioso no que se refere a manter as coisas em harmonia. No entanto, a única coisa que ele não consegue fazer é descartar. Ele disse à minha mãe que não daria nenhuma roupa até morrer, e durante 10 anos resistiu bravamente às minhas tentativas de fazê-lo mudar de ideia. Só depois que ficou tão ocupado no trabalho que não tinha mais tempo para arrumar as coisas diariamente é que admitiu que seu quarto estava uma calamidade e, enfim, tomou a decisão de fazer algo a respeito.

Assim, começaram as aulas de arrumação de meu pai. Como sempre, começamos juntando todas as roupas dele num único lugar, e elas pareciam não ter fim. Havia pacotes de roupas ainda com etiqueta, infindáveis roupas íntimas ainda em suas embalagens de plástico, jaquetas nunca usadas que ele tinha esquecido que existiam, pilhas de camisas polo idênticas. Isso inspirou a reação típica: "Eu tenho mesmo tudo isso?!" Passamos, então, para a etapa de segurar cada item e escolher apenas aqueles que dessem alegria. Fiquei com uma sensação estranha ao observar meu pai analisando seus pertences um por um e tomando decisões. Um pouco hesitante, ele anunciou "Isso me dá alegria",

"Por este, sou grato" e "Desculpe-me por não conseguir usá-la". Ao longo dos dois dias seguintes, analisamos seus pertences na ordem correta das categorias: roupas, livros, papéis, *komono* e itens de valor sentimental. Após selecionarmos tudo e descartarmos vinte sacolas cheias, passamos para o banheiro e para os espaços comunitários. Por fim, encerramos com uma aula de armazenamento.

No final, o quarto de meu pai parecia um mundo completamente diferente e muito agradável. Tudo, a não ser a cama e a TV, foi removido, e o chão de madeira tornou a ficar visível. A estante passou a só abrigar livros e CDs de que ele gosta e numa prateleira ficaram uma cerâmica decorativa que minha irmã havia feito na escola e bonequinhos de uma banda de jazz que ele comprara através de um catálogo. Como toque final, ele pendurou um quadro que até aquele momento estava escondido no closet, e o quarto inteiro parecia estar mais luminoso e agradável, como se tivesse sido decorado por um profissional.

– Eu ficava dizendo que um dia faria isso. Prometia a mim mesmo que resolveria a bagunça na semana seguinte – revelou meu pai. – Agora estou muito aliviado porque finalmente o fiz. Quando você põe a mão na massa, é impressionante a transformação que pode acontecer em apenas dois dias.

Ao ouvir a satisfação na voz dele, percebi que aquela tinha sido uma ótima maneira de eu demonstrar o meu amor. Mesmo alguém como meu pai, que tinha evitado arrumar e organizar por uma década, pode fazer tudo com muita rapidez uma vez que se concentre nisso. E pode, a partir de então, vivenciar o impacto que a arrumação causa em sua vida.

Posfácio: Preparando-se para o próximo estágio da sua vida

"Havia lido sobre como fazer uma arrumação geral, mas nunca comecei porque parecia muito difícil. Quando enfim decidi fazer, foi mais trabalhoso do que imaginei. Eu tinha objetos em excesso e estava ocupada no trabalho. Levei um ano inteiro. Passei as férias arrumando. Só terminei recentemente. Arrumei as fotos e todos os itens pendentes numa tacada só. A sensação foi de ter renascido. Para qualquer lugar que olho, vejo apenas coisas que me dão alegria. Sinto ternura por tudo na minha vida e sou muito grata!"

Quando recebo cartas como essa, minha mente se enche de imagens do futuro de seus remetentes, conforme eles se encaminham para o estágio seguinte de suas vidas. Vivendo num lindo espaço, eles agora são capazes de abrir mão de quaisquer hábitos que tenham vontade de abandonar, de ver com clareza o que desejam alcançar e de fazer o que for necessário para chegar lá.

Colocar a casa em ordem é colocar a vida em ordem e se preparar para o próximo passo. Quando você lida de modo adequado com a fase atual de sua vida, a próxima acontecerá naturalmente. Organizei as minhas coisas durante os meus anos de universidade. Desde então, sinto que tenho sido capaz de acolher cada novo evento e de lidar com tudo o que é necessário para mim.

Meu estágio mais recente começou na primavera de 2014, quando me casei. Começar minha própria família está me ajudando a ver as coisas sob uma nova perspectiva. Por um lado, estou aprendendo que as regras familiares não declaradas mudam de uma casa para outra e que os métodos de armazenamento que eu tinha assumido como óbvios precisavam ser adequadamente compartilhados e explicados. Quando eu era solteira, minha casa tinha apenas os meus pertences, mas agora eles dividem o espaço com os de meu marido. E quero cuidar tão bem do que é dele quanto cuido do que é meu.

Com essa ideia na cabeça, passamos recentemente por um período arrumando como um casal. Não foi preciso fazer uma campanha completa de arrumação porque, devido à natureza do meu trabalho, possuo apenas o mínimo, e o estilo de vida de meu marido é tão compacto que suas coisas ocuparam apenas quatro caixas de papelão quando nos mudamos. Em vez disso, fizemos uma aula de dobrar e guardar roupas.

Expliquei como dobrar cada tipo de roupa, como guardá-las na vertical e como pendurá-las de modo a ficarem numa ascendente para a direita. Conversamos enquanto trabalhávamos. Até então, eu acreditava que era melhor cada pessoa arrumar suas coisas em separado, mas, a partir dessa experiência, percebi que pode ser muito útil ter um tempo, como família, para entrar em contato com as coisas que possuímos. O processo de arrumação parece aprofundar os relacionamentos.

À medida que eu refletia sobre a natureza desses relacionamentos, me ocorreu que o povo japonês trata as coisas materiais com um cuidado especial desde tempos ancestrais. O conceito de *yaoyorozu no kami*, literalmente "800 mil deuses", é um exemplo. Os japoneses acreditavam que os deuses residiam não apenas em fenômenos naturais como o mar e a terra, mas também no fogão e até mesmo em cada grão de arroz, e por essa razão eles tratavam tudo com reverência. Durante o período Edo, de 1603 a 1868, o Japão parece ter tido um sistema de reciclagem muito bem organizado para garantir que nada fosse desperdiçado. A ideia de que tudo está imbuído de um espírito parece estar gravada no DNA japonês.

O espírito que reside nas coisas materiais possui três aspectos: o espírito do material de que as coisas são feitas, o espírito da pessoa que as produziu e o espírito da pessoa que as usa. O espírito de quem produz tem um forte impacto na personalidade do objeto. Por exemplo, este livro que você está lendo é de papel. Mas não é um papel velho qualquer. Trata-se de um papel que está impregnado do meu desejo mais ardente de que você arrume suas coisas, além da minha vontade de ajudar aqueles que desejam viver uma vida que proporcione alegria. A intensidade desses sentimentos continuará no ar mesmo depois que você tiver terminado a leitura.

Ainda assim, no final, são os sentimentos da pessoa que usa o objeto e a maneira pela qual ela se relaciona com ele que irão determinar o tipo de aura do objeto (a palavra japonesa *kuki-kan* significa "o sentimento do ar"). A luz que este livro irradia e a presença que ele transmite vão depender de como você se relacionará com ele, bem como se você o usará ou se o comprará e nunca o lerá. Isso vale para todas as coisas, não apenas para esta obra: a mente determina o valor de tudo o que temos.

Ultimamente, uma expressão que sempre vem à minha mente quando estou trabalhando com meus clientes é *mono no aware*. Esse termo japonês, que significa "sensibilidade das coisas", descreve a emoção profunda que é evocada quando somos tocados pela natureza, pela arte ou pelas vidas dos outros com a consciência de sua inconstância. Ele também se refere à essência das coisas e à nossa capacidade de sentir essa essência. À medida que meus clientes prosseguem no processo de arrumação, sinto uma mudança nas palavras que falam e em suas expressões faciais, como se eles estivessem aperfeiçoando sua capacidade de sentir a *mono no aware*.

Uma de minhas clientes, por exemplo, olhou para a bicicleta que ela usara e cuidara durante anos e disse "Acabei de perceber que esta bicicleta tem sido uma parceira para mim".

Outra cliente me confessou, sorrindo: "Agora, até mesmo meus utensílios para cozinhar me parecem incrivelmente preciosos." Não são apenas os sentimentos das pessoas por bens materiais que mudam. Elas também são capazes de diminuir o ritmo e desfrutar fisicamente das mudanças das estações, tornando-se mais afetuosas consigo mesmas e com suas famílias.

Acredito que, quando colocamos as coisas em ordem e fortalecemos as ligações com o que possuímos, nós nos reconectamos com aquela sensibilidade delicada da *mono no aware*. Descobrimos nossa capacidade inata de tratar com carinho tudo que possuímos e recuperamos a consciência de que nosso relacionamento com o mundo material é de apoio mútuo.

Se você se sente ansioso o tempo todo, mas não sabe exatamente o porquê, tente organizar as suas coisas. Segure cada item e se pergunte se aquilo lhe traz ou não alegria. Depois, trate com carinho aqueles que você decidir manter, da mesma forma que cuida de si mesmo, para que todos os dias de sua vida sejam cheios de alegria.

Agradecimentos

Minha jornada pelo mundo da arrumação começou quando eu tinha 15 anos. Num certo momento, achei que daria aulas particulares de arrumação a vida inteira, mas com o passar do tempo minha visão sobre o tema mudou. Agora, duas aprendizes trabalham comigo e criei uma associação nacional para treinar consultores de arrumação em todo o país. Além disso, o livro *A mágica da arrumação* foi traduzido e publicado em mais de 35 países. A resposta do público ultrapassou minhas expectativas. Sinto-me não apenas orgulhosa, mas também surpresa com o fato de que o Método KonMari, que surgiu de minha obsessão por arrumação, esteja se espalhando por todo o mundo. Fiquei ainda mais impressionada por ser tema de um artigo do *New York Times* e por receber mensagens de pessoas de todas as partes. Para compartilhar o Método KonMari, espero visitar uma série de nações e realizar uma pesquisa internacional sobre arrumação.

Conforme mencionei anteriormente, meu casamento foi a principal mudança em minha vida. Graças a meu marido, que é o máximo no que se refere aos serviços domésticos, tenho ainda mais tempo para me dedicar à minha paixão. Como viciada em arrumação, isso me mantém tanto ocupada quanto feliz.

Para encerrar, queria aproveitar esta oportunidade para expressar minha profunda gratidão às pessoas que tornaram possível este livro, através de seu apoio e sua colaboração. Agradeço à minha tradutora, Cathy Hirano; à equipe editorial americana da Ten Speed Press/Crown Publishing, formada por Lisa Westmoreland, Betsy Stromberg, Daniel Wikey, Hannah Rahill, Aaron Wehner, David Drake e Maya Mavjee; aos meus agentes Neil Gudovitz e Jun Hasebe; e à minha equipe editorial japonesa da Sunmark Publishing, em especial a Nobutaka Ueki, Tomohiro Takahashi, Ichiro Takeda e Shino Kobayashi.

Também sou extremamente grata a cada pessoa que escolheu este livro para ler. Obrigada a todos.

Marie "KonMari" Kondo

CONHEÇA OUTRO TÍTULO DA AUTORA

A mágica da arrumação

Com mais de 8 milhões de livros vendidos, *A mágica da arrumação* se tornou um fenômeno mundial por apresentar uma abordagem inovadora para acabar de vez com a bagunça. Aos 30 anos, a japonesa Marie Kondo virou celebridade internacional, uma espécie de guru quando o assunto é organização.

Seu método é simples, porém transformador. Em vez de basear-se em critérios vagos, como "jogue fora tudo o que você não usa há um ano", ele é fundamentado no sentimento da pessoa por cada objeto que possui.

O ponto principal da técnica é o descarte. Para decidir o que manter e o que jogar fora, você deve segurar os itens um a um e perguntar a si mesmo: "Isso me traz alegria?" Você só deve continuar com algo se a resposta for "sim".

Pode soar estranho no começo, mas, acredite, é libertador. Você vai descobrir que grande parte da bagunça em sua casa é composta por coisas dispensáveis.

Prático e eficiente, este método não vai transformar apenas sua casa – ele vai mudar você. Rodeado apenas do que ama, você se tornará mais feliz e motivado a criar o estilo de vida com que sempre sonhou.

CONHEÇA OS LIVROS DE MARIE KONDO

A mágica da arrumação

Isso me traz alegria

Para saber mais sobre os títulos e autores da Editora Sextante, visite o nosso site. Além de informações sobre os próximos lançamentos, você terá acesso a conteúdos exclusivos e poderá participar de promoções e sorteios.

sextante.com.br